Noire n'est pas
mon métier

NADÈGE BEAUSSON-DIAGNE - MATA GABIN
MAÏMOUNA GUEYE - EYE HAÏDARA
RACHEL KHAN - AÏSSA MAÏGA
SARA MARTINS - MARIE-PHILOMÈNE NGA
SABINE PAKORA - FIRMINE RICHARD
SONIA ROLLAND - MAGAAJYIA SILBERFELD
SHIRLEY SOUAGNON - ASSA SYLLA
KARIDJA TOURÉ - FRANCE ZOBDA

Noire n'est pas mon métier

Sur une idée d'Aïssa Maïga

ÉDITIONS DU SEUIL
25, bd Romain-Rolland, Paris XIVe

Ce livre est édité par
Charlotte Rotman

De gauche à droite (en partant du verso) :
Marie-Philomène Nga, Assa Sylla, France Zobda,
Maïmouna Gueye, Firmine Richard, Karidja Touré,
(à partir du recto)
Aïssa Maïga, Sabine Pakora, Rachel Khan (assise), Mata Gabin,
Sara Martins, Nadège Beausson-Diagne, Sonia Rolland
Les comédiennes Eye Haïdara, Magaajyia Silberfeld
et Shirley Souagnon n'ont pas pu se joindre à nous le jour
de la prise de vue, mais leurs témoignages figurent dans ce recueil.

ISBN 978-2-02-140119-6

© Éditions du Seuil, mai 2018

www.seuil.com

PROLOGUE

Noire n'est pas mon métier

Je me suis souvent demandé pourquoi j'étais parmi les seules actrices noires à travailler dans ce pays pourtant métissé qu'est la France. Curieuse position que d'être l'une des rares à accéder à des rôles, à une notoriété, quand les discriminations à l'œuvre dans le cinéma, la télévision et le théâtre français provoquent un tel déficit de diversité. Avoir de la visibilité et de la longévité dans ce contexte est une gageure, un scandale.

De film en film, de pièce de théâtre en pièce de théâtre, mon travail a touché des cinéastes, des metteurs en scène qui m'ont tour à tour fait confiance. Mais mon parcours est bien celui d'une constante miraculée. Cette position est inconfortable. Qui pourrait se réjouir du rejet de ses semblables ? Qui aimerait avoir la sensation curieuse d'être l'un des alibis d'une société qui cherche à se rassurer en laissant une place dérisoire à l'altérité ?

Pourquoi autant de femmes et de jeunes filles talentueuses, issues d'Afrique et d'outre-mer, qui maîtrisent leur art, cinéma, théâtre, parfois chantent, dansent, écrivent, semblent rester irrémédiablement invisibles, ignorées ? Exclues de l'immense majorité des opportunités artistiques d'un pays pourtant doté d'une véritable industrie culturelle.

Quelle actrice noire ou métisse n'aura pas, en ouvrant un scénario, en se rendant à un casting, en rencontrant un(e) metteur(e) en scène, fait l'expérience amère d'un regard à la fois sexiste et raciste posé sur son corps, sa culture d'origine, son appartenance réelle ou supposée à un groupe ethnique ? Combien de réflexions blessantes, de plaisanteries douteuses, d'affirmations ineptes entendues ? Ce racisme nébuleux ne se manifeste pas forcément par des coups d'éclat, il s'incarne en une myriade de mots méprisants, d'observations condescendantes, de scènes dialoguées et didascalies équivoques, écrites sans complexe. Femme et différente. Stigmatisée ou rejetée. Stéréotypée ou ignorée. Cette assignation au carrefour du racisme et du sexisme s'accompagne d'une invisibilité quasi totale. Nous avons peu d'opportunités intéressantes pour des rôles de premier plan. Et lorsque nous en décrochons un et pensons avoir échappé à notre condition d'actrices reléguées à la périphérie, nous nous apercevons que d'autres murs symboliques ont été érigés. Notre présence dans les films français est encore trop souvent due à la nécessité incontournable ou anecdotique d'avoir un personnage noir. Noire n'est pas mon métier. Pas plus qu'il n'est celui des signataires de ce livre.

L'explosion salvatrice de la parole des victimes d'abus sexuels et de viols, comédiennes hollywoodiennes en tête, entraîne dans son sillage la libération d'un mouvement féministe global, incluant et pragmatique, qui se déploie dans tous les domaines professionnels. Un nouveau souffle. L'industrie du spectacle demeure une sphère privilégiée, d'où la parole peut être entendue. Nous, actrices, avons la possibilité de faire entendre notre voix et souhaitons agir sur les blocages qui concernent la société tout entière. Il y a beaucoup à dire. Lorsque le cinéma français discrimine, il le fait, pour ainsi dire, avec largesse. Le paysage des rejets, assignations et caricatures offre, lui, un panorama fascinant de diversité. Noires. Arabes. Asiatiques... c'est l'ancien monde colonial dans son ensemble dont il s'agit, et l'on peut véritablement parler d'expérience commune lorsqu'on est française, actrice et issue de l'une de ces « communautés ». Par ailleurs, ce que nous éprouvons en tant que femmes noires dans les industries du spectacle, d'autres femmes et hommes non blancs le vivent dans tous les secteurs professionnels. Discrimination à l'embauche, invisibilité, plafond de verre, déficit de crédibilité lorsqu'elles ou ils accèdent à des postes à responsabilité, quand ils ne sont pas tout simplement exposés de façon stratégique, trophées d'entreprises qui veulent apparaître vertueuses en termes de diversité.

Cette bataille, nous la menons ici et maintenant sur le terrain artistique, culturel, avec l'idée que chaque génération s'élève en apportant sa contribution à la suivante. Nous y sommes parfois acculées : ne pas résister, ne pas développer une conscience militante, citoyenne, humaine pour s'élever contre l'injustice serait tout simplement s'effondrer moralement et psychiquement.

Plus de trois cents films français sont produits chaque année. L'on ne compte plus les festivals de cinéma et de théâtre en France. Les Molière récompensent chaque année des dizaines de pièces. À la télévision, il n'y a jamais eu une telle production de séries. Et pourtant, il subsiste un vide retentissant en termes de représentation de la réalité sociale, démographique, ethnique française. Comment les réalisateurs et réalisatrices observent-ils ce vide ? En ont-ils conscience ? Se sentent-ils en phase avec la société dans laquelle ils vivent ? Sont-ils toujours dans cette dichotomie que j'ai pu observer au début des années 2000 ? Le cœur à gauche, prompts à militer pour les droits des sans-papiers hier et des réfugiés aujourd'hui ; mais si difficilement prêts à offrir une narration incluant les « autres », les non-Blancs, dans leurs films, téléfilms et pièces de théâtre ? Se souviennent-ils qu'en 2000, déjà, Calixthe Beyala et Luc Saint-Eloy les interpellaient depuis la scène des César ?

Je ne crois pas qu'il y ait une volonté affirmée de ne pas représenter toutes les catégories de femmes. J'observe plutôt l'absorption inconsciente d'une norme, d'une histoire coloniale qui façonne toujours nos esprits, trois générations après les luttes et guerres d'indépendance des pays anciennement colonisés. Il y a là un terrible impensé. Que connaissons-nous de cette histoire commune ? La construction de la violence, de la barbarie coloniale, les massacres tus, la mémoire piétinée, les symboles méprisés, les héros assassinés, les viols systématisés, les spoliations institutionnalisées... Les décennies d'immigration des populations africaines ou asiatiques, ou de migration des ultramarins sont à opposer à l'image d'Épinal d'une France qui se vit souvent comme exclusivement blanche et ignore sa part de métissage, tant dans les manuels scolaires que dans les fictions qu'elle produit. Mensonge ou déni, le résultat est le même. Des franges entières de la population se sentent exclues ou méprisées.

Ces racines sont à observer avec calme et dignité, avec cette idée qui me tient à cœur qu'une nation s'honore en regardant son histoire en face, en dépassant les non-dits et en incluant dans son récit national toutes les composantes de la société. Cinéma, théâtre, télévision, citoyenneté, politique… l'imaginaire social, miroir tendu à la nation, est une source qui nourrit ou détruit le lien social. Nous sommes irrémédiablement amenés à faire un choix.

Pour ma part, je ne me permets pas le confort du pessimisme. Je reste farouchement positive, déterminée à croire que certaines réalisatrices, certains réalisateurs, scénaristes, productrices, producteurs, dirigeantes, dirigeants de chaîne, directrices et directeurs de casting, toutes origines confondues, toutes générations confondues, ayant digéré le caractère totalement bigarré, irrémédiablement métissé de nos villes et bientôt de nos campagnes, sont prêts à offrir un reflet plus réaliste de nos vécus communs. L'émergence d'une nouvelle génération de créateurs eux-mêmes issus de la diversité constitue en outre une chance de renouvellement des récits.

Nous sommes seize femmes, seize actrices noires ou métisses du cinéma français, et voici nos seize témoignages (panorama non exhaustif, ce livre ne prétend pas être une encyclopédie). Nommées aux César pour une participation dans un film d'auteur, figures populaires du petit écran ou habituées des planches, novices, confirmées, jeunes, vieilles, maigres, grosses, nées ici ou ailleurs, nous faisons toutes le même constat : l'imaginaire des productions françaises est encore empreint de clichés hérités d'un autre temps.

Nadège, Shirley, France, Mata, Assa, Karidja, Sonia, Rachel, Maïmouna, Firmine, Marie-Philomène, Magaajyia, Sabine, Sara, Eye partagent un destin commun. De refus en humiliations, à l'intersection du racisme et du sexisme, elles ont développé un regard critique, une véritable détermination et une impressionnante capacité de résilience.

11

Ici, à mon invitation, elles racontent comment, entre stéréotypes et invisibilité, elles se battent pour pratiquer leur art et poursuivre leur rêve, malgré les surnoms de «bamboulas», les remarques sur leurs cheveux crépus ou leurs éventuels accents, malgré leur relégation dans d'éternels rôles étriqués de mamas africaines. Elles retracent les contours singuliers, exemplaires, parfois douloureux, inspirants, drôles ou émouvants, de leurs expériences dans le cinéma pour une représentation plus juste de la société française.

Caisses de résonance par excellence et parfois malgré nous de la condition féminine actuelle, du traitement inégalitaire réservé aux «autres», nous souhaitons continuer de provoquer et d'alimenter le débat. Ce livre-manifeste est un véritable plaidoyer pour le vivre ensemble mais aussi un coup de gueule à mes yeux indispensable pour que ceux et celles qui arrivent derrière nous puissent évoluer dans un monde plus ouvert, plus juste, plus inclusif. Et, pourquoi pas, post-racial. Cet idéal, nous sommes nombreux, provenant de toutes les géographies, à le porter.

Femmes, noires, actrices. Françaises à part entière et entièrement issues d'une autre histoire. Nous ne sommes pas seules.

Aïssa Maïga

NADÈGE BEAUSSON-DIAGNE

« Vous allez bien ensemble avec la bamboula »

J'ai tout entendu lors de castings :

« Trop noire pour une métisse ! »

« Pas assez africaine pour une Africaine ! »

« Heureusement que vous avez les traits fins, je veux dire pas négroïdes, enfin vous faites pas trop noire ça va ! »

« Vous parlez africain ? »

« Pour une Noire, vous êtes vraiment intelligente, vous auriez mérité d'être blanche ! »

« Oh, la chance d'avoir des fesses comme ça, vous devez être chaude au lit non ? »

« Ben non… Vous ne pouvez pas être le personnage, c'est une avocate… Elle s'appelle Sandrine… Elle n'est pas… Enfin vous voyez quoi ! Elle est blanche ! »

« Vous savez rouler des yeux comme Joséphine Baker ? Faire plus y a bon Banania quoi ! »

Cette année, je fête mes vingt-cinq ans de carrière. Je suis comédienne, auteure-compositrice, chanteuse et danseuse. J'ai appris mes arts au Conservatoire, lieu dans lequel j'ai passé les trois quarts de mon enfance. Mon père est sénégalais, ma mère est métisse, ivoirienne-bretonne, je suis née à Paris, une vraie Afro-Armoricaine !

J'ai la chance de travailler aussi bien à la télévision qu'au théâtre et au cinéma ; en France et dans quelques pays d'Afrique. Je me rappelle ma première pièce. Le metteur en scène Alain Maratrat, qui avait été longtemps l'assistant de Peter Brook, avait décidé pour les auditions de nous laisser faire des improvisations, des chorégraphies, puis il avait distribué les rôles, en fonction de nos personnalités, sans que soit précisé si tel personnage était noir, tel autre blanc ou asiatique. C'est ainsi que j'ai eu l'extrême chance de commencer mon métier. J'avais 21 ans, je quittais l'appartement familial, je commençais ma vie de femme, ma vie d'artiste, je sentais que tout était possible, que, comme je les avais travaillés au Conservatoire – d'où je suis sortie avec un second prix d'interprétation –, je pourrai jouer « Juliette » ou « Camille », je me sentais héroïne de ma vie, forte et libre. Malheureusement, j'allais au cours de ces vingt-cinq années comprendre que j'étais noire avant d'être moi.

Pour ne pas sombrer dans une rage de tous les jours ou un désespoir infini, quand vous êtes une actrice noire en France, il faut une énergie à déplacer des montagnes, un entourage de qualité supérieure et un psy disposé à vous recevoir à toute heure. Et j'ajoute : il faut avoir un second degré vissé aux chevilles, une force supérieure à la moyenne et ne jamais douter de ce que vous êtes. Depuis que je fais ce métier, j'ai jonglé avec la schizophrénie. Mais je suis une guerrière fille et petite-fille de guerrières. Donc je suis là, debout, toujours, entre moments de désespoir et magnifiques projets. Le tournage que j'ai envie de raconter ici relève plutôt de la première catégorie.

Quand j'ai obtenu le rôle de ce film (dont je tairai le nom), j'avais des tresses longues. Puis j'ai eu envie de changer de coiffure, ceux qui me connaissent savent que je change de coiffure comme de chaussures ! J'ai donc retiré mes tresses et laissé mes cheveux naturels. Rien de compliqué. Nous étions à la période de Noël quand je reçois un coup de téléphone de l'assistante du directeur artistique.

Elle : « Ça va ma petite Nadège ? »

(Bon je suis une adulte de 1,72 m mais pourquoi pas.)

Moi : « Oui, merci. »

Elle : « Tu sais que j'ai les cheveux frisés ? »

(Elle m'appelle la veille de Noël pour me parler de ses boucles ? Sérieusement ? Je veux dire c'est une vraie conversation ?)

Moi : « ... »

Elle : « J'adore vos salons de coiffure à Strasbourg-Saint-Denis, une fois je me suis fait faire des tresses ! »

(Elle me vouvoie et pense que je suis propriétaire desdits salons ou parle de « nous les Noirs » comme d'une seule personne ?)

Elle : « Je les ai gardées une semaine, après j'avais des cloques sur le cuir chevelu. »

(Alors, bien que je compatisse à la douleur de son crâne, je me demande quelle est la pertinence de cet échange...)

Elle : « Du coup je comprends que tu aies retiré tes tresses ! »

(Ah ok ! Projection pour personnalisation du propos.)

Moi : « Non, c'est juste que j'avais envie de laisser mes cheveux naturels, je veux dire je ne suis pas née comme ça avec des tresses longues jusqu'aux fesses... »

Elle : « Oui mais, est-ce que le téléspectateur va te reconnaître ? »

Moi : « Dans la mesure où je n'ai pas fait de chirurgie esthétique pour me refaire le visage, que j'ai juste changé de coiffure je pense que ça va aller... »

Elle : « Le problème, ma petite Nadège, on en a parlé en réunion tout à l'heure, c'est que quand on te regarde ça sent le monoï ! »

Moi : « Pardon ? »

Elle : « Oui, tes cheveux, ben c'est bizarre quoi ! »

Moi : « Alors, déjà, juste pour ta gouverne, Beyonce et Rihanna ne sont pas nées avec des cheveux blonds ou rouges raides archilongs. Leurs cheveux naturels doivent ressembler à peu de chose près aux miens. Je suis émue que vous ayez fait une réunion à Noël pour parler de moi et que vous en ayez conclu que mes cheveux sentent le monoï, parce que figure-toi que je mets du beurre de karité tous les jours depuis que je suis petite, j'ai essayé le monoï, mais ça les assèche, donc je vais tourner avec mes cheveux naturels, les spectateurs vont me reconnaître, et accessoirement les gens qui travaillent avec moi. Et surtout joyeuses fêtes ! »

J'ai raccroché, pensive. Quel était le problème avec mes cheveux ? Ce n'était pas la première fois que l'on me faisait une réflexion, un des coiffeurs sur un plateau m'avait même suggéré un fer à lisser pour les raidir. Je lui ai élégamment dit que son fer il pouvait se le mettre où je pense ; qu'il fasse des essais avec mes cheveux. Après une séance formidable, il a vu qu'il pouvait les coiffer, que c'était simple. Je ne milite pas spécialement pour les cheveux naturels, je déplore juste le manque d'imagination de certains qui vont mettre des perruques sur de magnifiques cheveux ! Mais cette fois, j'ai pu le faire changer d'idée ainsi que la production qui finalement était contente de mon look. Éduquer encore et toujours, ne jamais renoncer !

Quand j'ai retrouvé le tournage, j'ai constaté qu'il n'y avait pas que mes cheveux qui posaient problème. J'étais censée tourner une scène où je devais récupérer mes objets personnels et les mettre dans un carton de déménagement. Facile. J'aime toujours être un peu en avance le matin. Quand j'arrive sur le décor, je découvre stupéfaite des objets que je n'ai jamais vus dans cet espace : une photo de coucher de soleil, un palmier sculpté en bois, un bananier lui aussi en bois, etc. J'appelle l'accessoiriste, je lui demande de me regarder, de regarder les objets et je l'interroge : «Pourquoi ?» Il est gêné, présente ses excuses, les enlève. Pourquoi des objets à connotation «exotique» ? Pourquoi, pour lui, les objets personnels de mon personnage sont-ils des objets de «Noirs» ?

Je suis attentive aux mots, aux textes que je joue. Je n'hésite pas à changer et réécrire des scènes parce que, souvent, je me demande ce qui se passe dans la tête de certains auteurs. Ont-ils peur que le spectateur, frappé soudainement d'amnésie, oublie que je suis noire et se sentent-ils obligés, avec subtilité, de le repréciser ? Dans une scène, mon personnage discute avec une amie et décide de concocter un petit repas en amoureux. C'était écrit : «Je vais lui faire un bon colombo de poulet.» Alors, déjà, entendons-nous bien, je n'ai rien contre les Antilles ou le colombo de poulet, que j'adore au demeurant, mais je me demande juste pourquoi, alors que mon personnage est d'origine africaine, elle saurait faire un colombo de poulet ! Le personnage de mon amie, elle, devait faire une blanquette de veau. Vous allez dire que je suis pointilleuse, que j'exagère, mais il est clair que pour certains auteurs la femme noire fait un plat exotique, et la femme blanche fait un plat typique français. D'ailleurs, petit pense-bête pour certains scénaristes : entre les Antilles et l'Afrique il y a 10 000 km. Ce jour-là, j'ai demandé à l'actrice qui jouait avec moi si on pouvait inverser, j'ai donc dit que j'allais faire une bonne blanquette de veau et elle un colombo de poulet !

Je lutte souvent en silence, je m'accommode, je propose des arrangements. En tout cas, j'essaie. Mais parfois, c'est impossible.

Après le tournage, je vais boire un thé avec l'acteur qui joue mon amoureux. Une tasse à la main, il me confie : « Au fait M. X m'a dit : "Vous allez bien ensemble avec la bamboula !" » Moi : « Quoi ????? » Lui : « Ben oui, il m'a dit "Vous allez bien ensemble avec la bamboula !" »

J'ai la tête qui tourne, je ressens comme une décharge dans le corps, des souvenirs d'enfance remontent où je suis dans la cour de l'école, entourée d'enfants qui hurlent et me traitent de « sale Noire », « négresse », « bamboula de merde », mais non, je suis là, adulte avec celui qui interprète mon amoureux, une tasse de thé à la main, et qui me relate cette anecdote – un compliment, bien évidemment ! Ben quoi ! M. X est une personne très importante sur ce tournage, il trouve que notre couple fonctionne bien, où est le problème ? À la tête que je fais, mon partenaire de jeu comprend que cette phrase ne m'a pas plu. Il en est désolé, ne voit pas où est le mal, mais si ça m'a blessée, il s'en excuse. Dans un premier temps je ne sais

pas ce qui est le plus grave : être traitée de «bamboula»
par l'un de mes employeurs ou voir la tête de crétin de celui
qui me l'annonce, décontracté, voire souriant, une tasse de
thé à la main. Je ne dis plus un mot parce qu'ils restent
coincés dans la colère de ma gorge.

J'appelle mon agent. Choqué par ces propos, il me dit de
me calmer, qu'il appelle le producteur, que c'est impardon-
nable, qu'il est avec moi. Mon partenaire de jeu termine
son thé, je ne dis plus rien. Le producteur appelle, présente
ses excuses au nom de M. X, puis M. X me téléphone, la
voix cassée, me dit que c'était pour rire bien sûr, que bamboula ça veut dire faire la fête, qu'il n'est pas raciste, la
preuve, il couche avec des femmes noires. Il me dit même :
«Comment peux-tu penser que je suis raciste, je suis juif !»
Je n'ai plus de mots. J'hésite à quitter le tournage…

Les jours suivants, des acteurs viennent me voir en me
disant que M. X est au plus mal, que ça l'a blessé profon-
dément que je puisse le juger raciste. La femme noire avec
laquelle il couche vient me voir en me disant que, s'il était
raciste, il ne coucherait pas avec elle. Je me retrouve seule,
les gens pensent que j'exagère, que je suis vraiment sus-
ceptible, je suis insultée et isolée, sans alliés. Je ne peux
pas porter plainte car ce sera leur parole contre la mienne
puisque aucun acteur ne veut témoigner en ma faveur. Je
réalise qu'il n'y a pas un jour sans une blague douteuse
sur ma couleur : «Alors on laisse entrer les Noirs maintenant ?», «Ça va, Nadège, c'est pour rire !» Cette banalisation du racisme me sidère.

J'ai mal, mais ce n'est pas terminé. Au cours d'une
réunion de travail, le producteur évoque mon personnage :
«Alors dans le groupe des Noirs, un tel joue bien, l'autre la

mama africaine, pas mal, et au fait, la petite nouvelle, elle vient pas du même village que toi en Afrique ? » (Note pour ce monsieur, grand producteur français. *Primo* : Quitte à être précis, ma mère étant métisse, est-ce que je suis dans le groupe des Noirs slash groupe des Blancs ? *Secundo* : Je suis vraiment désolée de vous faire cette révélation, attention, ça va être violent, mais tous les Noirs de la planète ne viennent pas du même village en Afrique, surtout si, comme moi, ils sont nés à Paris !)

Mais sur le moment, je n'entends plus rien, je suis comme absente. Les phrases sortent de sa bouche puisque je le vois parler, face à moi, mais je n'entends plus rien... Ce n'est que le soir, au téléphone avec une amie, que les mots me reviennent. Je m'en veux d'être restée.

J'ai eu des expériences pires que ce tournage, d'autres plus heureuses, mais si j'avais dû raconter mon quotidien d'actrice noire en France, j'aurais rempli trois tomes. Oui, j'aurais dû parler avant, je l'ai fait quelques fois, mais il y a une réalité économique : je dois manger et payer mon loyer. J'ai combattu comme j'ai pu, en essayant à chaque rôle d'être vigilante. J'ai, je me rappelle, posé comme condition, avant de passer une audition de théâtre, qu'ils changent le nom du personnage, à l'époque je n'avais pas de travail, je galérais, mais le nom du personnage était « Blanchette ». Le rôle principal devait m'appeler « Blanchette, Blanchette ! » et les spectateurs me découvraient hilares ! Ils ont accepté, j'ai même eu l'audition. J'ai dû me faire remplacer pendant quelques dates car je tournais un film, l'actrice qui a repris le rôle, noire elle aussi, a préféré s'appeler « Blanchette »...

Aujourd'hui, je ne suis plus une jeune première inno-
cente, je n'ai plus peur de libérer cette parole pour que les
choses changent. Alors quoi ? Oui, il y a, dans notre métier,
un racisme ordinaire en France. Inconscient souvent, chez
des personnes bien-pensantes, qui ne se rendent pas
compte. Qui banalisent des propos qui, dois-je le rappeler,
sont illicites !

Mais l'espoir demeure, j'ai travaillé avec des réalisateurs
ou des réalisatrices qui s'intéressaient à moi, Nadège, en
tant que femme et artiste, et se moquaient totalement du fait
que je sois noire. Pour que les choses changent, c'est à nous
de parler, d'éduquer, d'écrire, d'être unies et unis. Aujour-
d'hui, nous savons que nous représentons un poids économique, nous avons un public. Il faut que les réalisateurs,
les scénaristes, les producteurs, les décideurs de chaînes
réalisent que notre métier doit être un miroir de notre
société. Ceux qui ne se voient que rarement à la télévision,
au cinéma ou au théâtre ne demandent qu'à exister dans le
silence assourdissant de notre belle société métissée. Autrement, comment nos enfants pourront-ils se construire s'ils
ne se voient nulle part ?

MATA GABIN

BalancetonPoulpe

… J'ai ouvert la portière de sa voiture et je suis presque tombée par terre.

Sans me retourner et sans dire quoi que ce soit, j'ai foncé vers l'entrée de mon bâtiment, j'ai sorti mes clés de mon sac, qu'heureusement je portais en bandoulière, et je me suis engouffrée dans mon immeuble. J'ai pris l'ascenceur, appuyé sur mon étage, le trajet m'a paru durer une petite éternité, j'ai ouvert la porte de mon appartement et je me suis déshabillée à la vitesse de l'éclair. J'ai tout laissé là, dans l'entrée, comme ça, au sol, un petit tas de honte, puis, j'ai sauté dans ma baignoire, je me suis frottée, frottée, je me suis lavée comme jamais de ma vie je ne m'étais lavée…

Quelques jours plus tôt…
Je rentre dans le wagon, à cette heure-là, la ligne 9 du métro parisien est bondée comme d'habitude, mais par chance un strapontin libre me fait de l'œil, yep, je m'y installe. Je fouille dans mon sac à main et j'en sors un bouquin, le métro file. J'ouvre mon livre. Mon marque-page, c'est le flyer d'un court-métrage dans lequel j'ai

tourné, intitulé *Les temps changent*. C'était l'année dernière. Bientôt, ce sera la soirée de projection : un autre moment de trac, différent, différé. Je garde le flyer sous la main. J'aime la tête que j'ai dessus, avec mes cheveux courts et mon épaule dénudée, je suis presque mignonne, #totallymegalo, la Mata. Plus sérieusement, je pense que cela me donne comme une preuve que je rentre dans le milieu du cinéma. Je vais peut-être réussir à faire ma place dans ce métier, si je le fais bien, qui sait ? Je lève la tête, je tombe sur le regard de quelqu'un. Un homme. Machinalement, j'esquisse un début de sourire... Et je me ravise aussitôt. « Mayday mayday, Mata, attention : ne pas sourire à n'importe qui, n'oublie pas, c'est un homme, il peut penser en une seconde que t'es ok pour n'importe quoi », vite, je fais la gueule et je reviens à mon livre.

Je retombe sur le flyer.

Je me souviens que j'avais douté de mon jeu, dans l'une des scènes du film. J'attends la projection, pour me faire ma propre idée de spectatrice. Je suis en début de carrière, peut-être que ça s'apprend, ça, je devrais demander à des gens qui sont déjà des professionnels depuis longtemps... Oui, mais encore faut-il que je les rencontre... Dans les interviews, ils parlent souvent de rencontres, avec un air quasi émerveillé... Elles se passent où les rencontres, pendant les tournages, dans les projos, aux cocktails, dans la rue, dans le métro ?

Je suis plongée dans mes reflexions quand un nouveau passager prend place à côté de moi. Je n'y fais pas attention, je me pousse juste un peu par politesse, comme une Parisienne. Les habitudes se prennent vite. Quand je suis sur le point de reprendre ma lecture là où je l'avais laissée, j'entends : « Vous êtes Mata Gabin ? »

Purée de bois, j'hallucine, c'est la personne assise à côté de moi, un monsieur d'un certain âge, mais pas si vieux non plus, qui a dit ça, je le regarde, je lui réponds : « Comment vous savez mon nom ? », et il désigne le flyer. Ah ok, *waouuuuh,* il m'a fait une peur/joie/peur, celui-là, mon ego a pris deux claques, aller-retour, sans escale.

Je le regarde il me répond : il a vu mon nom sur le flyer bla-bla-bla et mon visage facilement reconnaissable bla-bla-bla, les belles blacks bla-bla-bla sont belles quand elles sont belles, bla-bla-bla, il n'y a pas tellement d'actrices noires en France, bla-bla-bla... Il parle et je réalise que c'est Le Poulpe.

Un acteur français connu. Un acteur connu ? Dans le métro ? Ah oui, je sais, il a un nom, oui. Mais pour moi, ce sera le Poulpe.

Je l'ai vu dans des tas de petits rôles quand j'étais enfant et adolescente dans des films comiques grand public. Je reconnais bien son visage. Je me dis que Dieu me répond, je me pose des questions et il met sur mon chemin, dans le métro, comme ça, un acteur, c'est génial, ça déchire.

Je lui dis : « Vous êtes le Poulpe ? » Il me répond : « Oui, vous m'avez reconnu, vous êtes cinéphile bla-bla-bla ? », et il me fait un grand sourire... Alors, je me permets de sourire aussi, là, je peux, on est des collègues, après tout, et j'avoue, ça fait du bien de pouvoir sourire un peu, sans crainte. Triple lol, *fucking* naïve.

On parle un peu, il descend bientôt, mais il irait volontiers voir ce court-métrage bla-bla-bla, on lui en a parlé par hasard de ce court bla-bla-bla et comme je sais qu'Hafid

Aboulahyane, le producteur, remue ciel et terre pour son film, j'imagine bien que l'information a pu arriver aux oreilles du Poulpe. Et les films de télé bla-bla-bla, et le milieu du cinéma bla-bla-bla, et les bons rôles bla-bla-bla, et moi, jeune comédienne bla-bla-bla, et la scène bla-bla-bla le théâtre bla-bla-bla, me cultiver bla-bla-bla, et aller voir ce qui se fait bla-bla-bla, et les rencontres bla-bla-bla, c'est primordial bla-bla-bla...

Ah oui, les rencontres! Il est enjoué et gentil.

Et il va venir à la projection bla-bla-bla, oui, il prend mon numéro pour me tenir au courant s'il a le moindre souci bla-bla-bla. Mais il va venir.

Il descend là.

« À bientôt Mata.

– À bientôt le Poulpe. »

Les portes du wagon se referment.

Plusieurs jours passent, et le soir de la projection arrive. J'ai complètement oublié le Poulpe.

Une grande partie de l'équipe est là. On se retrouve, on se félicite, on rit ensemble, on flatte le film, on se prend dans les bras, on boit des verres. On se raconte nos déboires, aussi les castings un peu fous ou les rencontres improbables.

Les rencontre improbables, et là ça me revient, mais où est le Poulpe? Ah ben, tiens! Il n'est pas venu. J'y pense et puis j'oublie. La soirée s'achève et je rentre chez moi.

Le lendemain, le Poulpe m'appelle, il est désolé bla-bla-bla, un contretemps bla-bla-bla, pour se faire pardonner bla-bla-bla, il m'invite au théâtre bla-bla-bla, est-ce que j'ai quelque chose que j'ai envie de voir en ce moment, bla-bla-bla? Oui, je dis oui, mon amie Deborah Levi joue au théâtre du Nord-Ouest dans *Huis clos* de Jean-Paul Sartre. Très bonne idée bla-bla-bla, pièce importante bla-bla-bla, me cultiver bla-bla-bla. Rendez-vous est pris, on se retrouvera là-bas bla-bla-bla... J'arrive bien à l'heure et lui aussi. Dans le hall d'entrée, on se salue. Les gens me regardent, je connais le Poulpe ? Certains qui ne m'avaient jamais dit bonjour quand je jouais Lucrèce Borgia, dans cette même salle quelques mois auparavant, ce soir-là, parce qu'il y a le Poulpe avec moi, manifestent à présent leur joie de me revoir.

On prend les billets, tout le monde est très gentil avec nous, chacun a sa petite phrase humoristique, je ris mais je ris jaune, il m'a invitée bla-bla-bla, il est gentleman bla-bla-bla, et il doit se faire pardonner son absence à la projection bla-bla-bla, comment était le film bla-bla-bla, est-ce que je suis contente de moi bla-bla-bla ? Est-ce que je lui parle de la scène dont je ne suis pas fière du tout ? Est-ce qu'il y avait du monde à la projo bla-bla-bla, vous avez un diffuseur bla-bla-bla. On s'installe dans la salle, j'ai gardé ma question pour moi, il parle trop, je ne peux pas en placer une. Le noir se fait dans la salle et j'entends : « Et tu es de quelle origine bla-bla-bla ? » Je réponds que je suis corse, il rigole, je la fais tout le temps celle-là, je déteste qu'on me demande mes origines, et puis je me sens corse. Bon, il ne m'a pas posé la question tout de suite cela dit, alors je suis sympa. Ce qui est atroce c'est quand dans les quatre secondes qui suivent la première rencontre on te fait bien comprendre que pèse sur toi une présomption de non-appartenance à la France. Mais là, ça va. Je fais ma blague, on rit, et je lui explique mes origines. Guinéo-libérienne par ma mère, martiniquaise par mon père, recueillie et élevée par des Corses, avec une grand-mère argenti... Je ne finis pas ma phrase. Le spectacle commence, je me tais. Je suis quand même contente d'être avec le Poulpe, je vais peut-être pouvoir poser ma question, et si ça rend les gens hypocrites de me voir avec quelqu'un de connu, eh bien tant pis ou tant mieux, il va juste falloir que je m'y habitue, je me détends. Je souris dans le noir.

Au bout de cinq minutes, le Poulpe pose sa main sur ma cuisse gauche. Je ne comprends pas, j'ai un peu sursauté. Je suis gênée, je retire sa main doucement. Cinq minutes plus tard, il recommence. J'enlève sa main à nouveau, je le regarde du coin de l'œil, il me regarde et il sourit. Je ne comprends pas pourquoi il me touche. Et puis je n'aime pas qu'il ait attendu qu'on soit dans le noir, on n'est pas des ados au cinéma qui ont inventé un prétexte pour se rapprocher. Je n'ai aucune attirance pour lui, mais pourquoi fait-il ça ? Triple lol *fucking* naïve.

Ai-je envoyé des signes de séduction ? Est-ce que j'ai l'attitude d'une femme charmée ? Est-ce que le simple fait d'avoir accepté son invitation veut dire que je suis d'accord pour coucher avec lui ?

Quand, pour la troisième fois, il remet sa main sur mon corps, je suis furieuse, mais je ne peux pas exprimer ma colère, nous sommes au théâtre, il faut se taire. Les acteurs jouent, je ne sais même plus ce qui se dit dans la pièce, ma tête est ailleurs.

J'ai retiré ses pattes de ma cuisse à trois reprises.

Je mets mes jambes en diagonale pour que ma jambe gauche soit la plus éloignée possible de sa main.

Le temps passe, la pièce se joue, il n'essaie plus de me toucher, ouf ! Je respire mieux, je tourne doucement la tête vers lui et, à ma grande surprise, je constate qu'il dort la bouche ouverte, la tête légèrement penchée en arrière et les jambes écartées. On est au sommet de l'élégance.

Nous sommes au premier rang, ben oui, il est le Poulpe, on nous a bien placés, j'ai peur que les acteurs voient qu'il dort, j'ai peur qu'il ronfle. Aux applaudissements, il se réveille et applaudit lui aussi à tout rompre.

Je suis pressée de sortir, de partir, je suis stressée, je n'ai qu'une envie, c'est être seule chez moi, mais il faut au moins que je salue mon amie Deborah. On est dans le hall, le Poulpe se pavane, les acteurs l'entourent, « je ne savais pas que tu connaissais cette comédienne black », dit une voix. Je frissonne, je ne suis pas black, je suis noire, on est en France, bordel. Le Poulpe parle fort, Sartre bla-bla-bla, la mise en scène bla-bla-bla, il n'aurait pas fait comme ça, bla-bla-bla, mais c'est vraiment remarqua-bla-bla-bla, on rit à ce qu'il dit, on s'étonne, on le questionne, on ouvre grand les yeux et j'ai droit à des petits clins d'œil de connivence, je m'évade un peu à l'écart, je discute avec une fille hypo-crite qui soudain s'est mise à me calculer, mais qu'importe ça me va, du moment que je peux attendre la sortie de Debo loin du Poulpe.

Et puis mon amie sort enfin, ma délivrance approche, j'ai à peine le temps de la féliciter que le Poulpe rapplique. Elle est étonnée de constater que je suis venue avec lui, je souris poliment, je discute un peu avec eux et puis, quand je sens que je peux prendre congé de tout ce petit monde sans être grossière, je commence à dire au revoir. Quand je dis mille mercis et au revoir au Poulpe, il répond « mais, non, je vous raccompagne, je suis gentleman bla-bla-bla », il vient d'apprendre le mot hier ou quoi ? Gentleman, bouche ouverte et jambes écartées, sans oublier sa main baladeuse dans le noir.

Oh non merci, c'est gentil, je vais me débrouiller, il y a encore des métros, pas de souci. Il insiste, je refuse, il insiste encore, je refuse encore et puis des gens s'en mêlent, disent que c'est normal qu'il me raccompagne et bla-bla-bla, mais fermez vos gueules ! On ne vous a pas touché la cuisse à vous, à trois reprises comme si vous étiez la friandise du soir, j'ai envie de dire à tout le monde : « Il a mis sa main sur ma cuisse, il a dormi, vos gueules, vos gueules les mouettes », mais je ne dis rien. J'ai perdu la bataille.

Je suis assise dans sa voiture qui n'est même pas jolie ni confortable, il parle, parle, parle bla-bla-bla, sa main frôle ma cuisse quand il passe les vitesses. Dis donc, il y a beaucoup de feux rouges à Paris, il faut souvent redémarrer. Je m'installe à nouveau en diagonale, vais-je passer ma vie à m'asseoir de travers ?

Il parle, il parle, le métier bla-bla-bla, la concentration scénique bla-bla-bla, son parcours bla-bla-bla, Rome ne s'est pas fait en un jour bla-bla-bla…

Le trajet est long.

Enfin, nous sommes arrivés, enfin mon immeuble. Je me retourne pour lui dire poliment au revoir et prendre congé définitivement, j'espère.

Et là, au moment de se faire la bise, *fucking* naïve, parce qu'on se connaît maintenant, parce qu'on se tutoie, bla-bla-bla, au moment où je tourne mon visage vers lui pour dire encore merci et au revoir, il se jette sur moi.

Il me laboure le visage avec sa langue, je la sens rapeuse et gluante, épaisse et maladroite, elle est malodorante, je sens la chaleur de son haleine et sa salive touche ma peau, ses mains touchent mes cheveux, se baladent avec frénésie sur mes épaules et foncent sur ma cuisse. Je suis tellement effarée que je regarde sa main, il tente de la glisser entre mes cuisses qui se referment machinalement et il parle : « Oh ma gazelle bla-bla-bla, ma panthère, j'entends les tam-tams de l'Afrique, la chaleur de la savane, ma tigresse bla-bla-bla, je serai ton lion, ton taureau et toi nue, oh l'odeur de la jungle africaine, toi la calipige, oh tu me fais rugir, oh ma gazelle africaine bla-bla-bla. »

Je suis scotchée, choquée, éberluée, engluée.

Sa bouche sent mauvais. Ses doigs sont fins, fébriles et désagréables, je suis comme paralysée par ce que je vis et ce que j'entends et puis soudain son odeur m'insupporte et provoque un déclic... Je tends la main pour trouver la poignée de la portière de sa voiture et je tombe presque par terre...

Sans me retourner, sans dire un mot, je fonce vers l'entrée de mon bâtiment, je sors les clés de mon sac, qu'heureusement je porte en bandoulière, je bipe le badge et je m'engouffre dans mon immeuble.

Ce soir-là, je me suis frottée, récurée, je me suis lavée comme jamais de ma vie je ne m'étais lavée.

Quant au Poulpe, je n'ai plus jamais eu aucune nouvelle de lui.

MAÏMOUNA GUEYE

Bambi

Qui a tué Bambi ??? Pan ! Pan ! Bambi alias moi, anciennement biche sensible et flageolante dans son labyrinthe de lumière. Bambi, piquée au vif lors d'un virage, s'évanouissant vers un barrage planté par des géants sans pitié. Je cumule les questions pendant que j'agonise... Je vois défiler les porcs qui ont voulu souiller mon identité et qui certainement se reconnaissent aujourd'hui tremblants. Je trouve cela plus jouissif de ne pas les nommer... Tremble et enferme ton groin dans ton peignoir que tu as ouvert dans ta chambre d'hôtel alors que moi j'espérais juste ouvrir les pages de ma pièce. Je venais pour lire des mots, je n'avais pourtant pas indiqué que j'étais « chroniqueuse du sexe ». Heureusement, mon amoureux m'attendait en bas. Eh bien oui, monsieur, j'ai un amoureux qui avait trouvé louche que je me rende à ce rendez-vous professionnel en ce lieu ; en terrain miné, disait-il.

Étais-je naïve ? Insensée ?? Je dirais non ! J'avais juste affaire à une gent bien particulière aux procédés bien rodés. Des bouchers obsessionnels qui sévissent et qui écorchent ton être pour se sentir beaux et forts... Voilà tout... Plus ils se jouent des autres, plus ils abusent, plus ils rient. Dans l'enfer de cette chambre d'hôtel, je tressaillis ; ma main tremblait à l'idée de dompter cet animal avec une gifle, mais je me ravisai, sortis et claquai la porte. Je laissai mon porc la queue en tire-bouchon derrière son oreille et moi ma pièce contre mes bras. Mais c'est moi qui avais honte, un comble ! J'ai perdu le goût d'écrire pendant un temps comme si je dénigrais mes mots autant que mon être le fut. Aujourd'hui, je me suis pardonné d'avoir été imprudente. Je suis désolée de vous informer que je ne suis pas un sujet d'obsessions sexuelles fantasmagoriques. Je ne suis pas à dévorer, je suis juste une comédienne noire désireuse de faire son métier. Souffrez que cela puisse exister.

Au commencement le doute... *Les Souvenirs de la dame en noir* est ma première pièce que j'interprétais camouflée dans une tenue de clocharde. Puis la deuxième, *Bambi, elle est noire mais elle est belle*. Et encore et toujours les mêmes remarques ; certains journalistes oubliaient parfois mes mots pour ne parler que de mon corps qu'ils avaient comme un besoin irrépressible de qualifier d'« envoûtant » avec des « longues jambes comme des lianes », « une souplesse de gazelle »... Zut alors, j'ai raté mon coup. Moi qui voulais être crédible... Je ne suis donc bonne qu'à ça ? Érotiser ainsi mon corps, n'est-ce pas un moyen de me réduire à un objet silencieux, de l'anesthésier et d'abîmer ainsi mon outil de travail, de voler ma candeur ? Quand cessera ce subterfuge intolérable ? J'attends de comprendre et de renaître de mes cendres, ça commence mal.

Mon corps et moi ; mon corps et eux... Est-ce qu'on ne tourne pas encore dans ce cercle vicieux de la pensée dite dominante ? D'une certaine colonisation des temps modernes ? Ce regard encore pesant, condescendant et sexualisé sur le corps noir ? L'ascension vers la gloire

est-elle alors un marché ? Le corps sa marchandise ? Je
suis face à un trou noir. Aujourd'hui, je m'affranchis de
ce rôle, je refuse de devoir assouvir vos terribles appétits
pour briller. Plus je me pose des questions, plus je me
vide de mon énergie. Je vacille alors que l'esprit doit être
libre pour pouvoir s'alimenter. Peut-on être libre alors
que ce métier qui se dit humain, familial, ne reconnaît
pas ses enfants quand ils sont différents ? Me voilà saou-
lée ; impossible pour moi de basculer dans votre sens
sous prétexte que vous avez la science infuse. Non, je ne
veux pas boire ce bol d'immondices, ras le bol.

Aujourd'hui mon corps a muté, mais il ne doute plus. Il
laisse épanouir ses rondeurs remplies de vie. Il ne veut pas
renier sa métamorphose. Il ne veut plus être l'objet d'une
stigmatisation de la femme noire. Mon corps n'est pas un
terrain d'expéditions. Je voudrais le voir en mouvement
dans un espace riche de sa couleur. Il veut prendre sa
place. On parle souvent de creux et de vide, moi j'aimerais
qu'on me remplisse de mon plein de création et non qu'on
me vide de mon essence. Mon corps ne peut pas se cour-
ber sous le joug des convenances, de la peur, du regard de
l'autre. Il est loin d'être docile, alors prenez-le tel qu'il est.
Je ne veux plus avoir à convulser tellement je suis remplie
de sanglots et j'aimerais bien ne plus être esquintée, ne
plus être au garde-à-vous mais être, tout simplement. Être
moi, femme noire, comédienne et noire. Pas black, non, ça
aussi, c'est encore un moyen de contourner les angles.
Droit au but ; balle au centre cocorico. On est en France,
non ? On y parle français ? C'est bien ça ? Eh bien, soyons
cohérent alors : je suis noire. N'ayez pas du mal à le dire,
car cela devient louche à la fin...

Enfin moi je me vois comme telle, mais si j'écoute mon enfant, la couleur noire peut être contestée ; lui la voit sous un autre angle. Noire serait la couleur vue par des adultes qui ont perdu leur part d'enfance. « Marron », dit mon bébé de trois ans, « maman, tu es marron, toi... » Lui a encore tous ses sens premiers, primitifs, un regard vierge de tout, clairvoyant, tellement juste, lui voit les couleurs et leurs nuances.

Mon corps et ses dilemmes. L'horloge des hormones a toqué. J'ai entendu ses tic-tac et très vite un bébé est devenu locataire de mon corps décrétant qu'il y était à sa place. Je l'ai accepté avec le préavis de neuf mois, pleinement consciente que ma vie allait basculer ; ma vie d'actrice surtout. Je ne sais pas s'il a été vraiment à son aise car il a dû sentir ma peur et m'entendre crier au-dehors : au secours, je ne suis plus dans mon corps ! Il a dû entendre ma colère. Qu'il n'y voie rien de personnel... Qu'il ne joue pas demain au martyr. Qu'il ne me fasse pas de reproches. Fais un effort mon fils. Va. Vis, mais ne deviens surtout pas un acteur comme ta mère. Loge dans mon corps, mange mon placenta, nage, mais ne te compromets pas en voulant devenir comédien. Ta mère te met en garde... Gare à l'enfer ! Gare à toi ! C'est un traquenard que d'être comédien à la peau noire et je ne veux pas qu'on te traque. Oh, pas de forcing, pas de forceps, je perds pied, je perds les eaux, je nage en eau trouble. Tombe par terre terrassée par l'inconnu, mon bel inconnu. Je me tords, me plains et voilà l'infirmière. Elle pense que c'est la comédienne qui crie, or c'est la femme, la future mère à forme humaine, toute ventrue, mais tellement humaine. J'ai mal, j'ai mal, j'ai peur. Je tombe par terre. Aidez-moi à avoir enfin un grand rôle... Et tu es né. Je t'observe et je pense tout bas. J'espère que tu ne m'entends pas penser. Je m'en veux tellement, mais on n'empêche pas une rivière de couler… Mon tout-petit, déjà c'était dur avant, me voilà condamnée à perpétuité. Pourquoi cette impression de deuil alors que je suis censée être dans la vie ? J'ai peur. On va m'oublier dans le métier. Je vais disparaître alors que tu viens juste de naître, je vais disparaître tout doucement comme une image qui s'efface petit à petit jusqu'au rien, jusqu'au vide… Tu m'as volé mon corps et j'espère ne jamais t'en vouloir… Mon corps a changé, carrément difforme, en hypercroissance, oui c'est ça. Je suis foutue… Je ne vais plus être rentable pour personne. Mon agent aussi va me lâcher. Je suis finie. Je sors, je prends une bouffée d'air et je me cogne aux autres, parfois des collègues qui ne me reconnaissent plus. Je bafouille, je mens. Je dis que je viens d'accoucher il y a quelques petits mois… Cela fait bien plus longtemps, mais je me donne un sursis.

Les traits de ma silhouette longiligne m'ont abandonnée, ils se sont effacés de jour en jour. Je ne vais plus être qu'une poussière d'étoile, un détritus de chair. Ce dialogue avec moi-même devient assourdissant. Stop ! Arrête de penser. Tais-toi mon cœur, tarissez-vous mes larmes. Je suis un tout. Je suis plus qu'un corps. Je ne suis pas une âme désincarnée.

Pardonne-moi mon fils d'avoir paniqué. Aujourd'hui je saute, je joue, je suis vivante, je ressuscite, je suis pleine de vie, j'accouche de cette vie et j'ai donné la vie… Me voici libre, grâce à toi. Je m'attire plus d'estime et j'ai même épousé mes formes. Bambi a disparu et bizarrement le métier commence à me sourire à nouveau.

EYE HAÏDARA

Quand serons-nous banales ?

Je suis naïve et c'est un choix.

Je suis née en France, je suis française, les classiques font partie de ma culture. Mais j'ai conscience que, quand j'interprète un personnage de Corneille, de Racine ou de Molière, cela brouille l'écoute des spectateurs, cela la noie. Car on se demande toujours pourquoi je suis là. Il faut sans cesse le justifier. Ma présence devient alors un acte politique. Même si ce n'est pas la volonté du metteur en scène, son choix devient un geste militant.

C'est pourquoi j'ai choisi d'être naïve à ce sujet. Je suis partie en tournée à travers une bonne partie de la France pendant trois ans, je tenais le rôle d'Angélique, dans *La Place Royale*, de Corneille. J'ai observé le regard intrigué des spectateurs, ce questionnement constant, ce besoin d'obtenir une justification : « Pourquoi ont-ils choisi une actrice noire ? » J'ai même eu droit à ces propos : « On n'aurait pas l'idée d'envoyer des Français en Angleterre pour jouer une pièce anglaise. » Leur réaction, leur désarroi ne relèvent pas forcément du racisme, c'est aussi le signe d'une société qui vieillit, se rétrécit sur elle-même, devient de moins en moins curieuse. Je n'apporte pas de réponse à ces interrogations. Je suis là parce que je suis comédienne.

Il n'est plus question de m'autocensurer comme j'ai pu le faire auparavant. Plus les acteurs et actrices noirs seront nombreux et plus nous pourrons noyer ces questionnements qui, en fait, nous dépassent et nous plombent.

J'ai grandi à Paris, dans le 17e, un arrondissement aux multiples facettes, avec ses chics immeubles haussman-niens et ses barres d'immeubles aux portes de Paris. En primaire, j'étais dans une école mixte, toutes classes sociales et toutes couleurs de peau confondues. C'est là où j'ai pris goût au théâtre. Mon instituteur avait créé un atelier théâtre au sein de l'école : on jouait de la poésie, Prévert, ou Tardieu... Aussi des classiques comme Molière. J'ai même interprété Scapin, un homme, à 8 ans. Je n'avais pas encore formulé le souhait de devenir comédienne, mais le théâtre était déjà une passion et, à cet âge, tout était possible. Au collège, c'était une tout autre ambiance. Je me suis retrou-vée à la porte de Clichy, toujours dans le 17e, mais là c'était la zone ! Il y avait d'un côté les classes internationales avec des élèves favorisés, et de l'autre les classes dites générales, fréquentées par des élèves de milieu social pauvre. Il y avait un fossé entre nous. Nous étions tous dans la même cour, mais il y avait deux univers qui ne se mélangeaient pas. L'écart fut encore plus grand lorsque je suis arrivée au lycée, dans un autre quartier, je ne me sentais pas du tout à ma place. J'étais la seule Noire de ma classe. Mais j'ai vite dépassé ça : j'étais rentrée dans ce lycée pour une chose, l'option théâtre qu'il proposait. J'ai vite assimilé que cet établissement était loin de ce que représentait mon école primaire. Ma singularité a été ma force, mais mon univers se fermait et mes rêves risquaient de disparaître. Plus j'ai grandi, plus j'ai vu les barrières des classes sociales s'affirmer et de nouvelles frontières s'ériger.

Après le bac, la première école de théâtre que j'ai fréquentée était aussi axée sur la préparation au Conservatoire. Beaucoup d'élèves voulaient passer le concours, certains y étaient encouragés... Pour ma part, j'ai été orientée vers des textes contemporains. Je voulais travailler du classique et on m'a fait entendre que les auteurs d'après le XIXe siècle me correspondaient mieux. J'ai lu et défendu de très beaux textes français et étrangers... Mais j'avais le sentiment que, contrairement à ce que je croyais lorsque j'étais enfant, les horizons n'étaient plus à ma portée. Je me demandais aussi si l'univers de certains cinéastes français que j'affectionnais particulièrement me serait un jour accessible.

Et puis j'ai changé d'école pour intégrer Acting International. Son directeur de l'époque, Robert Cordier, était un homme qui avait beaucoup voyagé et avait une vision fantastique sur le monde. Il aimait les gens, il s'intéressait aux différentes cultures du monde... Il avait surtout compris mon désir de raconter des histoires. Sans frontières ni barrières. Il m'a transmis sa passion du jeu, du dépassement de soi. Là, de nouveau, j'ai rêvé, et sur scène tout était redevenu possible !

Il y a quelques années je me souviens qu'on s'était mises d'accord avec plusieurs comédiennes : quand il n'était pas spécifié qu'un rôle était pour une actrice noire, on envoyait nos candidatures. On postulait pour des rôles où on ne nous imaginait pas. Certains directeurs de casting en prenant plus de pouvoir parfois nous imposaient. Il fallait oser y penser, essayer. Notre présence ne doit pas être vue comme un acte de revendication. Un acteur n'a qu'une seule vocation, celle de jouer. Les revendications, les actes politiques sont dans les sujets, les choix, les textes que nous défendons.

Les choses évoluent aujourd'hui et, peu à peu, ce n'est plus prendre un risque que de choisir un acteur noir, c'est juste un choix. Surtout lorsqu'on a du succès et le pouvoir de l'imposer sans être questionné. Et c'est à cette « banalisation » que je souhaite arriver.

J'ai souvent entendu : « Il n'y a que des rôles clichés pour les Noirs et les Arabes… Il faut qu'on écrive pour nous ! » Je ne veux pas être dans cet état d'esprit. Je n'ai aucune envie de tomber dans la démarche inverse et de reformer un ghetto. Ça ne me ressemble pas, je ne souhaite pas aller à la guerre, je n'ai pas d'ennemis. Je veux juste qu'on arrête de nous regarder et de faire comme si on avait déjà parlé alors qu'on n'a pas ouvert la bouche.

Je voudrais être une actrice banale, c'est un comble pour celle dont le métier est de se faire remarquer, de briller. On n'en est à espérer qu'on nous regarde comme des personnes lambda, quel paradoxe pour les actrices !

Je suis naïve, c'est un choix, mais je voudrais qu'aujourd'hui le cinéma français soit plus divers et ressemble enfin à l'école primaire de mon enfance.

RACHEL KHAN

« Sans entendre aucun bruit »

Tout a commencé par un poème, je crois. « Demain, dès l'aube... ». Comme une promesse que mon père aimait dire à haute voix, lorsque j'étais enfant, sur un rythme lent venu d'un autre lieu ou d'un autre temps.

À cette époque, vers 4 ans, je pratiquais déjà la danse classique et je faisais mes premières arabesques sur ce poème que je pensais venu d'Afrique, pour la simple et bonne raison que mon père est africain – mais cela ne me dérange pas. Aussi, il insistait beaucoup dans sa récitation sur les mots : « [...] à l'heure où blanchit la campagne, je partirai, vois-tu, je sais que tu m'attends ».

Alors, dans mon film intérieur, je l'imaginais traînant ces mots, sa lourde valise autant que ses souliers, depuis le Sénégal et la Gambie où il est né pour aller « par la forêt, aller par la montagne » rejoindre ma mère en France puisqu'il ne pouvait, disait-il, « demeurer loin d'elle plus longtemps ».

J'étais contente pour lui lorsque ma mère rentrait du travail avec d'autres livres à dire. Ma mère était libraire, d'origine juive polonaise, enfant cachée pendant la guerre, c'est à travers Patrick Modiano, Georges Perec, Romain Gary, Franz Kafka et Albert Cohen qu'elle s'est reconstruit une

43

famille, une histoire et des souvenirs. Des mots à lire pour elle, à dire pour lui. Je suis le fruit de ce mélange entre l'écriture et l'oralité, authentique dans les deux.

Puis, parfois, pour se changer les idées trop assombries par les tragédies de l'Histoire, mon père lançait quelques répliques de Molière, citant des personnages dont il moquait l'absence de noblesse ou l'ignorance. Lui, homme noir, soi-disant « pas assez entré dans l'Histoire », comme l'a affirmé un ancien président de la République, soulignait pourtant la naïveté enfantine de M. Jourdain, se régalant pendant des heures de « la belle chose que de savoir quelque chose ».

Vers 8 ans, à travers ses mots, je me sentais être l'Angélique du *Malade imaginaire*, la belle Lucile du *Bourgeois gentilhomme* ou bien l'Élise de *L'Avare*. La cuisine était devenue ma salle de spectacle : j'y développais, au rythme des dîners de mes parents avec leurs amis, de véritables représentations : j'y tenais les rôles des fiancées de théâtre, de Gisèle ou Paquita pour la danse, et je me lançais aussi dans des imitations de Georges Marchais ou de Raymond Barre. J'étais tout, j'étais pleinement, j'étais d'infinies possibilités. J'étais. Ma mère m'appelait Sarah Bernhardt, surnom que je portais fièrement.

Et puis, avec les tourments de l'adolescence, la cuisine est devenue un autel sur lequel Phèdre, Bérénice, Andromaque, Iseult et Juliette pleuraient avec grâce l'esprit de l'être aimé, le cœur morcelé par trop de chagrin et de trahisons.

C'est à cette période aussi que je suis devenue Romy Schneider, Marilyn Monroe, Ingrid Bergman, saoulant mon petit frère de répliques de films, l'enjoignant de me répondre avec le ton, le suppliant de recommencer encore et encore jusqu'à ce que je dise « Coupez » très fort.

Ainsi, je me suis construite, outre mes origines d'Afrique et d'Europe de l'Est, avec ce désir de jeu, d'expression, d'émotions, en m'échappant dans des films, en rêvant. J'ai grandi avec le cinéma à mes côtés, les yeux rivés vers un autre monde, un idéal. Je suis devenue une jeune femme mue par la croyance que l'absolu réside dans l'art et que j'en ferai mon métier.

Pourtant, j'aurais dû me douter de quelque chose lorsque ma professeure de danse classique me demandait de rentrer les fesses à chaque cours, sans jamais m'accorder les premiers rôles, même si j'étais l'une des meilleures, comme si la danse se résumait à rentrer les fesses.

J'aurais dû me douter que lorsqu'elle me proposait d'aller faire de la danse contemporaine, parce que le corps de ballet se doit d'être homogène, il y avait quelque chose de louche, une couille dans le potage, comme on dit. Mais, à défaut de vouloir comprendre que la couille c'était moi et faute de rentrer les fesses, ce qui s'avère impossible avec ma morphologie, je suis rentrée chez moi écouter *Demain, dès l'aube* dit par mon père, qui n'est pas un poème wolof, mais de Victor Hugo.

Fini les collants couleur chair qui n'ont pas la couleur de ma chair du tout. Je pars sur le stade pour que mon corps de Noire s'exprime là où il est attendu : à l'athlétisme. Je joue cette fois à la sprinteuse. Je deviens Jesse Owens, Carl Lewis, Merlene Ottey, pas dans la cuisine, mais sur la piste. Je deviens championne de France avec mon survêtement bleu, blanc, rouge qui va très bien avec ma peau cuivrée. Entre les entraînements, je ne laisse pas tomber la création, mais je prends soin de ne pas sortir du couloir préétabli pour moi. Je chante et danse donc... mais dans un groupe de hip-hop.

Jusqu'au moment où Victor Hugo s'énerve et me demande de me concentrer sur les études pour que je puisse réussir. Fini le sport et le hip-hop, fini « les trucs de Noirs », me dit-il, plus de « bouquet sur ma tombe, ni de bruyère en fleur ».

Tous les matins, je me donne rendez-vous dans dix ans à cause de la dernière ligne droite de la rue Soufflot que je monte pour aller à la fac. C'est un nouveau rôle que je joue parfaitement, celui de juriste à l'université Panthéon-Assas. Je sens bien que ça ne fait pas plaisir à tout le monde, mais j'en sors forte d'un troisième cycle en droits de l'homme, droit humanitaire et d'un autre en droit international économique. Je suis Sophie Marceau dans L'Étudiante, l'histoire d'amour avec le prof en moins parce que je vois bien qu'on ne se plaît pas lui et moi...

L'art me manque mais pour me réconforter, je me dis que c'est avec d'autres mots, d'autres notions, un autre jargon que Phèdre, Andromaque ou Erin Brockovich sont en moi pour défendre plus de justice, plus de liberté, plus d'égalité dans la construction du monde de demain. Cachée dans mes habits de juriste, je suis remarquée par les politiques. Je commence à écrire des discours. Nègre ou plume, je fais passer mes messages, heureuse d'apprendre que Victor Hugo en même temps qu'il allait là où blanchit la campagne était un homme politique. J'y vois un signe. J'ai 30 ans lorsque je deviens conseillère culture du président de la région Île-de-

France. Je continue à me dire que, lorsque je serai grande, je serai Sarah Bernhardt.

Le cinéma dans la peau, je me fantasme ni tout à fait la même ni tout à fait une autre dans des réunions de cabinet qui se ressemblent beaucoup et où tout le monde est semblable (des hommes blancs en constituent l'écrasante majorité). Je défends bec et ongles la liberté de création de tous, l'accessibilité aux arts, la diversité des pratiques et des esthétiques, l'exception culturelle, parce que européenne.

Je garde toujours l'acting en tête : j'y vois mon devoir autant que mon droit à la fois artistique, mais aussi politique de participer à l'imaginaire de la création pour panser les blessures, dénoncer, rire, pleurer, s'aimer. Voilà ce qui anime mes sens et mes choix de vie. J'y arriverai parce qu'une collectivité territoriale est un formidable moyen d'apprendre tous les rôles, de toutes les classes sociales, dans tous les domaines, tous les défis, les besoins, les enjeux, les histoires publiques ou intimes. Je regarde et apprends. Il y aurait tant de films à faire, tant de personnages à construire pour donner du sens et l'envie à tous de faire bouger les lignes.

C'est alors qu'un jour, au beau milieu de mon rôle de conseillère, la prophétie de Victor Hugo se réalisa. J'ai rendez-vous avec le producteur Dominique Besnehard et Élisabeth Depardieu qui est à la tête d'un dispositif d'accompagnement aux jeunes comédiens et réalisateurs. Pendant plusieurs sessions de travail, je ne dis rien sur mon secret. J'en ai presque honte. En France, on ne mélange pas tout. Je suis dans un cadre professionnel, dans une case politique, c'est mon rôle et j'y reste. Dominique Besnehard et moi nous nous apprivoisons et lors d'un déjeuner c'est lui qui me suggère de jouer parce qu'il trouve que cela m'irait bien.

J'aurais aimé lui dire que jouer ne me va pas bien pour la simple et bonne raison que jouer c'est ce que je suis. Mais je n'ai rien dit par respect pour le rôle de conseillère que je tiens.

Le cœur gonflé à bloc, j'appelle la sœur d'un ami du hip-hop qui est agent. Elle accepte de me prendre sous son aile.

Les premiers castings tombent. Au fil des projets, je me rends compte que quelque chose cloche dans les rôles qui me sont proposés. Ce n'est pas ce que j'attendais, mais étant nouvelle dans le métier, je me dis qu'il y a peut-être des façons de faire, des codes que je n'ai pas, des échelons à gravir. Je me tais. J'observe les propositions qui se ressemblent toutes. Après le nom du personnage qui s'appelle Fatou à 65 %, il est précisé qu'elle est noire ou métisse selon la lumière. Jusqu'à présent, je n'avais jamais vu ça. Aucune pièce de théâtre, aucun scénario de film ne détermine que certains rôles sont pour les Blancs. Peut-être qu'être blanc va de soi ? Peut-être que je ne suis pas normale et qu'il faut alors le préciser ?

Mal à l'aise, mais ne voulant pas me montrer parano, je me tais encore et réfléchis parce qu'il faut toujours se remettre en question à cause de l'ego des actrices. Peut-être que les Noirs font des choses spécifiques ? Ils ont peut-être des attitudes, une manière de parler ou d'être qu'il faut bosser ?

Personne ne m'a jamais dit que j'étais noire. J'ai peur de demander à mon père. Mais, si c'est le cas, ça doit venir de lui, j'en suis sûre, c'est génétique ces trucs-là.

Perdue, je perds pied. Pour le cinéma, je suis noire, même pas métisse mais noire, ce qui implique certaines choses que je n'avais pas du tout anticipées. Est-ce qu'il y a un coach sur Paris spécialisé dans les rôles de Noires ? Qui pourrait me faire bosser l'aspect afro des personnages pour plus de crédibilité ? Y a-t-il des émotions à ne pas ressentir ?

D'un coup, moi, l'Afro-Yiddish tourangelle, championne de France, européenne, je culpabilise d'avoir oublié que ma peau raconte que je ne suis pas d'ici, que je suis une autre que je ne connais pas.

En casting, pour les incontournables rôles de putes ou de femmes de ménage, on me demande de faire un accent qui aille avec cette couleur (ou avec ce rôle ?). J'aimerais bien dire à la directrice de casting que la couleur de ma peau vient de l'histoire de France, de la Shoah, de la décolonisation, de l'immigration, de l'égalité et des droits fondamentaux, des Lumières… Que j'habite comme une reine à Saint-Germain-en-Laye à côté du berceau de Louis XIV, mais on n'a pas le temps. On n'a jamais le temps.

Alors, je tente à chaque fois le tout pour le tout. Un balai invisible à la main parce que c'est mon rôle, je remonte mes manches et, sans faire la fine bouche, parce que ça serait de toute façon difficile, je déploie un accent pathétique face caméra. J'aurais aimé leur dire que je pouvais faire aussi Denise Fabre, Raymond Barre ou Georges Marchais, Phèdre, Romy et les autres, que j'ai une palette de jeu assez large, mais les castings sont rapides. Juste après m'avoir demandé de danser, on a pris mon numéro, mes disponibilités et je suis remerciée. «Suivante !» dit la directrice de casting, et je vois entrer une jeune Afro-Européenne comme moi, puisque les Noirs sont interchangeables à cause de la ressemblance.

Quelques semaines plus tard, mon agent m'appelle. Je n'ai pas eu le rôle de la femme de ménage à cause de l'accent qui n'était pas assez noir. Ça me fait un petit pincement au cœur de manquer d'autant d'africanité. Mais je rebondis, lui signifiant que je suis quand même heureuse d'avoir décroché trois rôles de putes à la suite. Comme quoi, malgré ce que pense Victor Hugo, j'ai eu raison de faire de l'athlétisme pour garder un corps digne de mes robes au ras des fesses que je n'ai plus besoin de rentrer. Et ça, je pourrai le dire à mon père quand il sera de bonne humeur.

Sur le plateau, court vêtue, la lumière roule sur ma peau sage et docile comme celle de mes ancêtres depuis des millénaires. L'ambiance du tournage me remplit. Mais, si je regarde le combo autant que la vie, j'ai la peau de celle qui ne compte pas. Rosalie sans César, mais façon « doudou dis donc », les camélias de la dame, pot de fleur exotique en arrière champs de coton dans la pure tradition des sombres histoires de l'humanité.

Je sais bien que ce métier est difficile, alors je me plie à ses exigences, faisant tous les efforts possibles pour décrocher les rôles. Je commence à être spécialiste de la pute maintenant et, professionnelle, je fais le maximum pour servir le scénario. Cependant, il reste des choses sur lesquelles je n'ai pas de prise. Trop noire pour certains, pas assez pour d'autres. Pourtant, moi je me pensais vraiment au milieu. On pourrait demander à Einstein si la théorie de la relativité s'applique aux peaux. Je ne savais pas que mon taux de mélanine pouvait changer totalement l'histoire d'un film. Enfin, je le savais dans la vraie histoire, mais pas au cinéma. C'est vrai qu'il y a quelques siècles les esclaves étaient traités de manière différente en fonction de leurs teintes ou de leurs cheveux plus ou moins crépus.

Si j'avais été un garçon, cela aurait été plus simple, pour équilibrer ces histoires de couleur et pour alimenter la concurrence des victimes qui se joue en sous-texte ici, j'aurais proposé de baisser mon pantalon, comme ça le casting aurait vu que je suis juive, donc plus claire ou plus foncée selon sa construction mentale. Mais, comme je suis une fille, ça ne marche pas. Tant pis, j'attends le prochain rôle.

Mon agent me rappelle. Mince, cette fois j'ai été super, mais on ne peut pas me prendre parce qu'il y a déjà un rôle où le personnage est coiffé en afro dans le film. On ne peut pas être deux. Effectivement c'est dommage, ils ont raison de respecter la jurisprudence Hortefeux pour les coiffures afro. «Il en faut toujours un. Quand il y en a un, ça va. C'est quand il y en a beaucoup qu'il y a des problèmes...» Moi-même, lorsque je vois des actrices dans les films avec la même coiffure aux cheveux raides, coupe au carré ou queue-de-cheval, je n'arrive pas à les distinguer, ce qui me perturbe, et je dois me concentrer beaucoup pour suivre l'histoire, alors je comprends bien sûr.

Finalement, je pars quand même à Cannes pour un film dans lequel j'ai un rôle à la mesure de la place que l'on m'accorde, proche du ground zero. Excitée, malgré tout, comme à l'époque de la cuisine de mes parents, je me prépare avec la robe pour aller au rendez-vous maquillage. Je patiente sagement dans le showroom en surveillant l'heure pour ne pas être en retard. La montée des marches exige d'être précis niveau timing, surtout lorsque l'on est noire, il ne faut pas se caler sur l'heure universelle, parce que l'heure, c'est l'heure et pas celle du soleil.

Je suis installée dans un coin de la pièce, les actrices, toutes blanches, se font maquiller. Les maquilleuses défilent autour de moi sans venir me voir. Je regarde encore l'horloge et sens comme un flottement. D'un coup, leur cheffe se dirige vers moi, je suis très honorée. Mais elle est confuse : elle n'a pas de produits pour ma peau. Je la regarde interdite, sans vraiment comprendre, me lève sans un mot. Je marche, je ne sais où ni vers quoi.

Victor Hugo crie à l'injustice, mais Jean Valjean n'est pas là. Je tente de me raisonner. Ce n'est qu'une question de maquillage après tout. Nous sommes au XXIe siècle, dans un festival international où les parures et fragrances jouent pleinement leur partition et c'est précisément à cet endroit que je n'ai pas ma place. Je suis noire. Malgré ma rage, je tente de rester calme, je fredonne *Imagine* de John Lennon. Mais malheureusement, par association d'idées, je me souviens de sa phrase « *Women are the negro of the world* », ce qui n'arrange rien à ma situation. Même chez les pacifistes, on est oubliées ! Conclusion personnelle : je ne suis pas une femme à qui on met du maquillage, parce que je ne vaux rien, « *Black women are the negro of the negro* » très cher John !

Je marche sur la Croisette « les yeux fixés sur mes pensées, sans rien voir au-dehors, sans entendre aucun bruit, seule, inconnue, le dos courbé, les mains croisées, triste, et le jour pour moi est bien comme la nuit ». Des larmes plein les yeux, j'ai envie de quitter mes Louboutin pour monter les marches pieds nus, comme l'auraient fait mes ancêtres du village ou du shtetl dans les imaginaires peu créatifs de certains. L'avantage d'être sans maquillage, c'est que je peux pleurer sans faire couler ni le rimmel ni le fond de teint.

J'aimerais dire à Gilles Jacob, le président du Festival de Cannes, pour le rassurer, que si je ne suis pas en bas des marches ce n'est pas à cause de mon retard, qu'au contraire en tant que Noire j'étais très à l'heure, mais que d'autres sont deux siècles à la bourre. Mais je ne suis pas une balance et j'utilise peu Twitter.

Sur la Croisette, je marche encore au côté de la projection que je renvoie : la Noire. Comme une ombre inqualifiable qui écrase mon travail d'actrice circonscrit à des rôles tristement attendus. Je suis illégitime à être une autre que cela. La puissance de toute comédienne réside pourtant dans la possibilité de s'affranchir des contraintes sociales, économiques et autres pour vivre son personnage pleinement sur le plateau. Ici, les rôles que l'on me propose, rôles dits «de Noires», ne font pas rêver. Au contraire, ils sont pires que la réalité, montrent l'illégitimité voire l'illégalité, nourrissent les névroses discriminatoires au lieu d'incarner ce monde post-Obama.

Ça se passe ici en France «sans entendre aucun bruit». Parce que Noire, je devrais devenir infidèle à mes sens, passer le balai avec un accent en offrant mon cul, qui a le rythme dans la peau, à tous les passants au moment où le héros du film court dans la rue. Nous sommes en 2018 et si je fais le bilan de tout ce qui a pu m'être proposé, seuls 10 % des rôles que j'ai joués m'ont permis d'exprimer mon travail hors des clichés délétères. «Sans entendre aucun bruit», avec ma couleur de peau, je ne corresponds pas à ce qu'il faut raconter.

Alors, je suis rayée, effacée, gommée. Quelle ironie du sort pour une fille d'enfant cachée !

Grâce au cinéma, je sais maintenant qu'il y a des métiers, des sentiments, des histoires pour lesquels je ne serais pas faite, qui ne me concerneraient pas. Grâce au cinéma, je sais désormais que je suis noire donc pas crédible en avocate, moi qui me la suis tapée, la rue Soufflot, pendant des années.

Noire, métisse, Afro-Yiddish, bâtarde, soit le personnage d'aucun scénario, celle dont on ne peut inventer les désirs ni les progressions dramaturgiques parce que cette peau n'a pas d'existence ou n'est qu'un imprévu de la grande Histoire. « Sans entendre aucun bruit », je ne suis pas de celles dont on peut animer les émotions, puisque je n'en ai pas. Noirs-bétails, noirs-détails… On n'a pas le temps.

Dès lors, si je veux jouer, il me faut respecter la disgrâce et les traditions ancestrales que je n'ai jamais connues, bricolées par le chef déco. Et pourquoi pas lancer un rire hérité des premiers hommes de l'époque paléolithique acceptable à l'écran.

Notre cinéma français est malade. Il a été coupé au montage, coupé sur mesure. Ce cinéma souffrant contamine la société de nos enfants qui nous voient invisibles et inexistants… Je n'appartiens pas à la diversité, c'est la diversité qui est en moi puisque je suis une comédienne. Noire n'est pas un rôle. Noire n'est pas un métier non plus. Victor Hugo se fâche, il n'aime pas la posture de donneuse de leçons dans laquelle je m'emploie. Victor ! Reste le dos courbé à n'entendre aucun bruit et laisse-moi, je ne sais pas comment le dire autrement.

Au regard de ce qui se passe dans nos maisons, dans la rue, dans les transports, au parc, la crédibilité artistique de nos films est entachée d'un fort anachronisme, avec des personnages qui se ressemblent tous, aux cheveux lisses, au phrasé identique, monochromes, donnant toute valeur au déni et à la négation de notre société, dans laquelle heureusement nos amours mêlent nos sangs sans fin.

Parce que, pendant des siècles, cette couleur de peau était aussi celle des esclaves, des colonisés, parce qu'elle reste un fantasme exotique ou qu'elle renvoie à une classe sociale pauvre, il faudrait qu'elle raconte encore et toujours cela au cinéma. Il est temps de s'affranchir des chaînes et autres cloisons mentales. Sur l'écran blanc de mes nuits noires, je garde malgré tout la force de m'imaginer que bientôt je pourrai, nous pourrons, défendre n'importe quel personnage et même le Petit Chaperon rouge parce que l'humour yiddish est éternel.

Dans cette clarté éblouissante où règnent nos absences, je regarde ma fille qui danse dans la cuisine. J'ai envie de me battre pour qu'elle et d'autres n'aient pas à subir les échos d'un passé non révolu. Il est temps de sublimer à l'écran les couleurs qui sont les nôtres. Après tout, nous venons tous du même poème.

AÏSSA MAÏGA

Expulsée

J'étais petite. Très petite. Trop petite pour voir ça. J'avais six ans et j'étais cachée, accroupie dans le couloir, chez moi. Trois chambres. Salon. Cuisine. Et ce couloir d'où je pouvais voir sans être vue. L'essence même du cinéma. Ce soir-là, passait un film que je n'étais pas autorisée à regarder. Les images m'ont obsédée longtemps. Entre trauma et fascination, je revivais les scènes où cet enfant, petit garçon qui avait sans doute mon âge, pouvait avec la stridence de son cri faire exploser les vitres des fenêtres en mille éclats défractés. Le vacarme aigu de ses cordes vocales en colère soufflait avec une violence inouïe le cristal des verres et rendait orphelines les mains des adultes déjantés. Et dans ce silence assourdissant, les bouches ouvertes soudain laissées sans voix, l'enfant immobile, l'éclat inattendu de sa toute-puissance. *Le Tambour*. C'était le titre du film. Un film de Volker Schlöndorff. Mais, ça je l'ai su plus tard. Le cinéma, c'était un secret, cette chose interdite que je pouvais regarder depuis le couloir et emporter avec moi partout et longtemps, peut-être même pour toujours.

J'habitais dans une résidence en banlieue parisienne. La journée, lorsqu'il n'y avait pas école, j'étais souvent dans la cour à jouer avec Ophélie, Isabelle, Annie, Sonia, Stéphanie, Chloé, Cyrine... Elles aimaient venir manger des plats maliens chez moi et j'adorais aller jouer chez elles. Et déguster des crêpes. Et fêter les anniversaires. Les regarder ouvrir leurs cadeaux et rêver qu'ils étaient un peu les miens.

J'aimais beaucoup l'école. Jouer et travailler étaient alors une seule et même chose. J'aimais discuter. Longtemps. Beaucoup. Surtout pendant les leçons. J'avais toujours quelque chose à dire, à raconter, à commenter. Et lorsque je n'avais plus le choix et que je devais vraiment me taire, je pensais à toutes ces choses que j'allais dire lorsque ma bouche aurait à nouveau le droit de s'ouvrir. Mon père ne comprenait pas ce qui pouvait bien me pousser à jacasser alors que l'enseignant enseignait. Malgré les A et les très bien sur mon bulletin trimestriel, il était chaque fois exaspéré par la mention de mes bavardages. Et perplexe. Il était journaliste. C'est l'école qui avait fait de lui ce qu'il était. Pour lui, l'école, c'était sacré. Enfin, c'est ce que je crois par déduction logique. Je n'en ai jamais parlé avec lui. Mon père est mort lorsque j'avais 8 ans. Et ce jour-là, l'hiver s'est abattu. Un hiver traversé par un vent à vous mordre jusqu'à l'âme. Un hiver transpercé par un soleil éclatant sur un ciel bleu, car la vie continue, et la vie est belle, aussi.

C'est bien plus tard que j'ai décidé de devenir actrice. Vouloir être comédienne. Raconter. Hurler au monde les émotions enfouies. Les rêves arrachés. Les larmes endossées pour soi, pour d'autres, tous les autres. Actrice. Évidence incontournable, devenue aussi nécessaire que respirer ou rêver. Jouer la comédie, projeter la possibilité d'un autre monde où la vie n'est pas trop triste ni trop laide et les salauds pas trop nombreux – et de toute façon nous sommes plus forts qu'eux. Quitter la fac et devenir serveuse. Avoir peur de le rester. Passer un casting. Y croire. Ne pas être choisie. Continuer à être serveuse. Ne pas désespérer. Surtout, ne pas désespérer. Regarder le ciel. Mais flipper de l'avenir, quand même. Passer un autre casting. Décrocher le rôle. Un rôle important, comme on dit. On est en 1996. Dans ma ville, Paris, les Noirs sont partout. Dans les films, nulle part.

Mais moi, j'y crois. Ma maison est un endroit nourri d'influences maliennes, sénégalaises, assurément françaises, une sorte de tout-monde un peu désordonné, une grand-mère adoptive française d'Indochine, fille de colons, mais ça, je ne savais pas ce que ça voulait dire, une autre grand-mère bien-aimée, mère de mon père, peule, nomade du désert sahélien, on l'appelait Houmba ; ma tante et mon oncle, elle française, lui malien, tous deux devenus mes parents – la filiation s'invente et se tricote, on peut faire ça, oui, devenir l'enfant de quelqu'un sans que le sang s'en mêle. Nourrie au lait d'adultes multiples – il faut un village pour élever un enfant, je suis musulmane, chrétienne, athée, résolument laïque. Je suis tout cela, liste non exhaustive. Mon territoire n'est pas limité à la couleur de ma peau dont je ne tire d'ailleurs aucune vanité. Je suis née comme cela, aucun choix là-dedans. Ce dont je suis fière : la culture hybride qui m'a été léguée. Ma capacité de résilience. Ma détermination à regarder l'autre dans ce qu'il a de plus beau. Alors, oui, j'y crois. Je serai actrice. Je jouerai dans des films car, comme me l'avait dit un autre de mes oncles, tonton Alpha, « les gens passionnés peuvent déplacer des montagnes. Tu vas y arriver ». Je traverserai l'écran pour devenir les autres et ainsi devenir qui je suis. Je peux tout jouer.

Il y a plus de dix ans, je décroche le premier rôle d'une comédie romantique. Il n'était pas prévu que le personnage de ce film soit noir, mais mon agent de l'époque avait suggéré au casting et au réalisateur de me rencontrer et obtenu gain de cause. Je suis choisie, un miracle. Ou plutôt une succession de conditions favorables, les étoiles qui s'alignent, le réalisateur qui se bat contre son producteur pour que je sois son héroïne, et me voici propulsée actrice principale dans une romance aux côtés d'un célèbre acteur français. Lui blanc, moi noire, français et parisiens tous les deux, nous formons un couple. Un couple comme il en existe des tas dans la vie. Le tournage se passe bien. Je suis heureuse. J'ai bien fait de ne pas désespérer. Je suis passionnée par mon métier, je peux déplacer des montagnes. Tonton Alpha avait raison.

Puis arrive le temps de la promotion. Les affiches de comédies romantiques françaises sont pour ainsi dire toutes les mêmes : Elle et Lui. Ou : Lui et Elle. Ou bien : Elle et Lui et leurs amis. Ou encore : Lui et Elle et leurs amis. Et plus récemment : Elle et Elle et leurs amis. Entre romance et humour, l'affiche est toujours une variation sur le même thème autour des deux protagonistes. Quand je découvre l'affiche de mon film, je vois que je n'y apparais pas. Mon partenaire, unique héros d'une histoire d'amour devenue taboue, règne, glorieusement placardé, seul avec lui-même.

Je ne m'éterniserai pas : les exemples de ce type sont trop nombreux. Ce qui blesse, ce sont ces multitudes de remarques déplacées, ces refus répétés, cette myriade de clichés, incessants, plaqués, et l'idée qui se répand insidieusement, absorbée par chaque pore de la peau, chaque cellule, chaque neurone. Je. N'ai. Pas. Ma. Place. Dans. Ce. Pays. Dans. Leurs. Histoires. Dans. Leur. Imaginaire. Car. Je. Suis. Noire.

Cette fois-là, c'est on ne peut plus évident. Je suis enragée. Révoltée. Je trouve que l'on ne peut décidément pas me demander d'ingurgiter les principes humanistes de l'antiracisme, les pensées du siècle dit des Lumières, les textes du théâtre classique français, liberté-égalité-fraternité et me demander de supporter sans broncher le goût âcre d'une subtile mais réelle relégation raciale.

Je suis expulsée de l'affiche, je me vois devenir invisible, et en plus je suis sommée de rester docile, pire, reconnaissante. Sur le moment, il m'est implicitement demandé de ne pas penser que le producteur et le distributeur ont choisi d'écarter, de gommer l'actrice principale de l'affiche du film en raison de la couleur de sa peau. Il m'est implicitement demandé de ne pas prendre cet effacement de façon personnelle et de regarder avec recul la machine marketing se mettre en marche sans en prendre ombrage : l'acteur principal est célèbre, moi pas. Certes, l'actrice blonde qui était en lice pour le rôle au moment du casting aurait sans aucun doute été sur l'affiche elle aussi, à ses côtés. Mais dans mon cas, le public, à qui l'on peut faire endosser toutes les peurs, ne serait pas prêt.

Ce public au nom duquel on efface de l'histoire les acteurs à la peau sombre est celui que je croise dans le métro, dans la rue, les cafés. Si les gens ne s'enfuient pas en courant en me voyant, alors pourquoi le feraient-ils en m'apercevant sur une affiche de cinéma ? Je ne comprends toujours pas pourquoi « le public », prêt à se déplacer au cinéma pour Will Smith ou Denzel Washington, ne pourrait souffrir de voir Mata, Nadège, Ériq, Alex, Aïssa, Édouard, Firmine, Sonia, Diouc, France, Mouss, Hubert, Maïmouna, Lucien, Fatou, tous noirs ou métisses... mais français ? De quelle nature est la différence entre un Noir des États-Unis et un Noir venu d'Afrique, d'outre-mer, ou encore né ici ? Sommes-nous finalement trop français pour des Noirs ?

À l'époque, les réseaux sociaux sont encore trop balbutiants pour répandre comme une traînée de poudre l'affront qui est fait à ma personne, à la couleur de ma peau, et par extension à mes semblables. Faire entendre ma voix dans ce contexte est alors quasi impossible. Cela a changé.

Durant ces deux dernières décennies, j'ai déployé un véritable arsenal d'armes psychologiques pour ne pas étouffer, pour ne jamais penser que mon visage, mon corps, la couleur de ma peau constituaient un stigmate.

Durant ces années, j'ai passé le plus clair de mon temps d'actrice à tenter de dépasser ces barrières, et ce sont des rencontres avec des cinéastes au langage fort, français et étrangers, toutes générations confondues, qui m'ont donné des raisons d'y croire. Les rôles qu'ils m'ont confiés, non stéréotypés, dans des œuvres auxquelles je suis fière d'avoir contribué, m'ont offert une bouffée d'oxygène et aidée à croire en la prédiction de tonton Alpha. C'est grâce à eux que j'ai pu garder intacts mes rêves de cinéma, ce secret, cette chose interdite que je pouvais regarder, enfant, depuis le couloir, et emporter avec moi partout et longtemps, peut-être même pour toujours.

SARA MARTINS

Ces limites que les autres ont tracées pour moi

Ma première passion était la danse classique. Le ballet. J'étais petit rat à l'école de danse de l'Opéra de Lyon. Comme j'adorais ça, j'étais douée. Alors la question s'est posée de poursuivre ma formation à Paris. Cette hypothèse à peine formulée, des voix ont aussitôt murmuré et anticipé une réponse : « Les grandes institutions classiques ne sont pas prêtes à accueillir des gens de couleur... Laisse tomber. »

Et j'ai laissé tomber. J'avais 10 ans et je venais de comprendre qu'il serait toujours davantage question de ma couleur de peau que de n'importe quelle particularité, capacité, qualité ou même défaut. Ma pigmentation occulterait donc tout le reste ?

Oui, j'ai laissé tomber.

J'ai écouté ces voix et ces murmures et admis leurs présupposés. J'ai accepté les limites que d'autres traçaient pour moi. J'en suis restée là. Je me suis fermé la porte à moi-même. J'ai abandonné mon rêve de petite fille.

Je le regrette encore.

Dix ans plus tard, quand je décidais de me présenter au Conservatoire national supérieur d'art dramatique, j'ai entendu ces mêmes voix : « Y a pas de Noirs au

Conservatoire », « Tu perds ton temps, tu ne seras jamais prise », « Et même si tu étais reçue, tu vas jouer quoi ? Othello ? Et après ? ». C'est vrai qu'à l'époque je ne pouvais leur opposer aucun exemple d'actrice noire, régulièrement présente sur scène ou à l'écran. Mais, cette fois, j'ai refusé d'écouter. J'ai bien fermé mes oreilles. J'ai tenté le concours. Et j'ai été reçue au Conservatoire de Paris. J'ai tout joué : Marianne, Juliette, Nina, Andromaque, Elvire, et même Alceste ! Pas les soubrettes et dames de compagnie, comme on s'y attendait. Je voulais forcer tout le monde à me voir, moi, et tout ce qui me constitue, pas seulement mon enveloppe colorée. Et je n'accepterai plus jamais aucune limite, je veux pouvoir embrasser tous les rôles.

Quand, plus tard, au théâtre, j'ai été engagée pour rejoindre la troupe internationale et multi-ethnique de Peter Brook, j'ai évidemment été très honorée, mais les mêmes voix ont susurré : « C'est normal, c'est uniquement parce que tu es noire. » Alors finalement, c'est quand j'ai été appelée pour jouer dans *Les Trois Sœurs* de Tchekhov que j'ai été la plus fière. Parce qu'à chaque fois que la question était posée – et elle était posée à chaque fois : « Pourquoi avoir choisi une femme noire pour le rôle de Natalia ? Ça signifie quoi ? Dramaturgiquement ? », le metteur en scène (et je l'aimerai éternellement pour ça) répondait : « Je ne sais pas... Moi, j'ai choisi l'actrice Sara Martins parce que son travail m'intéresse, je n'ai pas choisi une femme noire... »

C'est fou comme une présence noire au théâtre doit obligatoirement « avoir » ou « donner du sens ». Je me suis vu refuser le rôle de Lady Macbeth parce que, ce personnage étant l'incarnation du mal, il ne peut être interprété par une femme noire sans risquer de rendre la pièce manichéenne, voire raciste. L'enfer est pavé de bonnes intentions...

Au cinéma ou à la télévision, ironiquement, on ne m'a pas tant refusé des rôles parce que j'étais noire, mais parce que je ne l'étais pas assez. Les rares fois où on recherche une femme noire, c'est pour raconter une migration tragique, la précarité ou la banlieue délinquante. Pour tous les autres rôles, s'il n'est pas spécifié par le scénariste qu'il s'agit d'une femme noire, les directeurs de casting qui penseront à nous sont très peu nombreux. Pour un rôle de médecin, par exemple, on n'est pas appelées. Cela dit, mon amie blonde de 1,80 m elle non plus n'est jamais approchée pour ce genre de rôles, qui semblent être réservés aux hommes mûrs, barbus et grisonnants... L'Inconscient Collectif a créé des archétypes qu'il est difficile de contourner.

Les films d'époque aussi nous sont interdits, parce que, encore une fois, l'Inconscient Collectif ne peut se représenter une présence noire sur le territoire français avant les années 1980.

À moins que ce ne soit une prostituée. C'est le seul genre de rôle où être noire est recommandé !

Même en figuration, vous remarquerez, si la scène se passe dans une boîte de striptease ou un bordel, vous verrez toujours passer des silhouettes noires... parce que l'Inconscient Collectif (toujours lui) est persuadé que la femme noire est hyper-sexuée, lubrique et ludique, libre sexuellement. Le corps de la femme noire est un éternel fantasme. À moi donc tous les rôles de maîtresses, coups d'un soir, voisines tentatrices, go-go danseuses, charmeuses de serpents et dompteuses de fauves... Dans les didascalies, d'ailleurs, les personnages qu'on me propose seront souvent qualifiés de « féline », « au port de gazelle » et « démarche de panthère ».

Comme me l'avait fait remarquer un directeur de casting un jour : « En tant que femme noire, dans ce métier, il faut être soit Whoopi Goldberg (drôle, au physique de fairevaloir), soit Halle Berry (mais la Halle Berry d'*Opération Espadon*, qui sort de l'eau ruisselante, en deux-pièces, pas celle, oscarisée, d'*À l'ombre de la haine*). »

Alors, c'est ça ou bien les miséreuses heureuses. Je me souviens de mon premier rôle au petit écran. J'étais tellement fière. Pour ma première apparition, je portais une petite robe évidemment très colorée (« Oh, vous les blacks, vous pouvez tout porter ! ») et je passais le balai, pieds nus, en chantonnant, heureuse.

J'en ai honte aujourd'hui.

On nous propose peu de rôles donc et parmi eux il y a tous ceux que je refuse de jouer parce qu'ils continuent de véhiculer des clichés dévalorisants. « La seule chose qui différencie la femme de couleur de toute autre personne, c'est l'opportunité. » Qui n'a pas été ému en entendant ces mots de l'actrice Viola Davis, qui remportait l'Emmy Awards de la meilleure actrice en 2016 ? Un jour, un patron de chaîne m'a dit : « Nous n'avons pas de Kerry Washington en France. » C'est faux, monsieur, nous sommes de nombreuses actrices de couleur et talentueuses, mais on nous offre si peu l'opportunité de le démontrer.

J'aime ces cérémonies américaines où tant d'actrices noires sont présentes et se soutiennent.

Nos cérémonies françaises sont bien différentes. On y peine à trouver des têtes colorées.

Parce que j'avais été prénominée aux César en 2010, j'ai été invitée à rejoindre la grande famille du cinéma, comme on dit, à la remise des prix et aussi au grand dîner qui suit la cérémonie au Fouquet's. C'était l'année d'*Un prophète*, de Jacques Audiard. Beaucoup d'acteurs de ce film sont des amis et nous nous sommes présentés bras dessus, bras dessous au Fouquet's pour célébrer toutes leurs victoires. Nous avons été refusés à l'entrée du restaurant. Il était impossible au physio de croire que notre joyeuse bande d'Afro-descendants et autres non-Blancs puissent faire partie de cette grande famille du cinéma ! Je me souviens avoir pensé : « Pourtant, on est bien habillés. » J'avais à nouveau 15 ans et me faisais recaler à l'entrée d'une boîte. Au moment où, vexés, nous allions partir faire la fête ailleurs, une organisatrice est arrivée, catastrophée et, pour corriger cette erreur gênante, a fait dresser une table en urgence. Et c'est ce que je préfère retenir : il y a maintenant une grande table pour nous, et elle est juste à l'entrée, au milieu du passage... Nous sommes incontournables désormais.

MARIE-PHILOMÈNE NGA

Des mamas en boubous

C'était il y a trois ans, je tenais le rôle d'une femme malienne (Nafissatou) : une mère seule (évidemment), sans logement, employée à Disney, parlant le bambara et bredouillant un peu du faux français (pathétique). Le film, avec ses têtes d'affiche, a eu un beau parcours.

La costumière avait prévu pour ce personnage un legging, une minijupe en jean bien moulante, avec fermeture Éclair cassée, un col roulé étranglant, une misérable doudoune, le tout bien fripé, avec – cerise sur le gâteau – des méduses, ces chaussures en plastique que l'on met à la plage, assorties d'une paire de chaussettes. Toute cette panoplie pour un film qui se déroulait en plein hiver et un tournage lui aussi programmé à cette saison avec une grosse séquence extérieure. Improbable !

J'avais l'air ridicule dans cet accoutrement, emballée et roulée comme un saucisson. Même si c'était une fiction, c'était là une caricature de plus. Moi-même africaine d'origine, je ne pouvais accepter une projection si négative et, surtout, si peu réaliste. Je m'adressai à la costumière pour comprendre son choix vestimentaire pour ce personnage, c'est-à-dire une femme qui aurait pu être moi, et, tout naturellement, sa réponse fut celle-ci : « J'habite le boulevard

Barbès, de ma fenêtre, j'observe ces filles-là, c'est ainsi qu'elles s'habillent...» Aïe ! « Eh non, madame, ces braves filles travaillant sur les trottoirs des rues, avenues et autres boulevards ne sont pas représentatives de toutes les femmes africaines, pas plus que leur mode de vie ou leurs styles vestimentaires ! » Comment lui faire comprendre ?

Je suis née et j'ai grandi au Cameroun, à Douala, dans cette grande agglomération du littoral où mes parents (infirmier en chef et sage-femme), originaires du centre du pays, avaient immigré pour des raisons professionnelles. J'ai passé une bonne partie de ma petite enfance entre la maison familiale située à un grand carrefour dans un quartier cosmopolite où vivaient d'autres communautés venues d'ailleurs et auprès d'une sœur aînée et amie de mon père. C'est d'ailleurs en son hommage que je porte son nom. Cette personnalité, entourée d'autres femmes de caractère, était au cœur de multiples activités, qui commençaient ou se concluaient par des chants et des danses qu'enfant je m'amusais à reproduire. Je passais mes grandes vacances scolaires aux villages de mes parents. Toutes les occasions étaient bonnes pour faire la fête : les travaux de la terre, la naissance, le mariage, la mort, la circoncision, la récolte du cacao, les soirées de contes autour du feu, la pêche des femmes dans la rivière, les rites traditionnels de guérison rythmés par le *mvet*[1], les percussions, accompagnées par

---

1. Le *mvet* désigne à la fois un instrument à cordes et les épopées récitées, chantées et dansées, qui se jouent accompagnées de cet instrument. Expression esthétique musicale et littéraire du peuple Ekang, éparpillé entre le Gabon, le Cameroun, la Guinée équatoriale, la République centrafricaine, Sao Tomé-et-Principe, les deux Congo, l'Angola, la Guinée-Bissau.

des chants, danses et transes. Ces univers initiatiques, grande source d'influences, m'ont façonnée et m'ont poussée à intégrer la troupe de ballet théâtre Les Génies noirs de Douala, de notoriété nationale et panafricaine à cette époque.

À la fin d'une tournée européenne, je décidai de tenter une expérience en France. Je me suis installée à Lyon où vivait mon frère aîné, en mai 1981, François Mitterrand venait d'être élu, et m'inscrivis au concours public d'entrée au Conservatoire national d'art dramatique de Lyon.

Le premier tour était un exercice libre, j'avais choisi et mis en scène un poème de David Diop : *Rama Kam*. J'ai déambulé, dansé et dit mon poème, accompagnée au djembé par un camarade percussionniste, ce fut un triomphe. Pour le deuxième tour, il m'a fallu me familiariser avec le personnage du texte du répertoire classique imposé : Mme Jacob dans *Turcaret* de Lesage, une pièce présentée pour la première fois à la Comédie-Française en 1709... Je dus également composer avec mes nouveaux camarades retenus comme moi, moi qui venais d'une autre culture et étais pratiquement la seule Noire de cette promotion.

Je me souviens de mon audition, surtout lorsque j'ai dû prononcer « présentement », et que les rires ont fusé. J'ai appris quelque temps après, en questionnant ma professeure de diction, qu'un certain Michel Leeb faisait un triomphe en imitant les Africains et les Asiatiques et leur accent. Ma prestation leur avait rappelé cette imitation grossière et caricaturale. Mais je n'avais pas été déstabilisée et fus même ovationnée. Je rentrai donc au Conservatoire.

J'entends encore les lamentations d'une camarade recalée aux auditions de diction : « Si j'avais été moi aussi la seule Blanche dans un conservatoire en Afrique, on m'aurait donné une médaille d'or... ! » « Non, ma belle, malgré mon accent bien prononcé et amusant pour vous, je suis dans l'obligation de me donner à fond, de toujours travailler deux fois plus, comme tous ceux qui ont la même couleur de peau que moi et qui n'ont pas d'autres choix que de réussir... » Chance et bonheur qu'il y ait des personnes qui le reconnaissent et nous accordent ce mérite.

Juin 1987, à la fin de ma première année de Conservatoire, je cumulais un très bon palmarès. Diction : médaille d'or (et tant pis pour Michel Leeb). Comédie classique : médaille d'argent. Tragédie : médaille de bronze. Comédie moderne : médaille d'argent... Pour autant, je fus tout de suite confrontée à la pénurie de rôles, si l'on excepte celui de la « négresse type », qu'on trouve dans le comté de Yoknapatawpha (Mississippi), d'après l'œuvre romanesque de William Faulkner, ou dans Le Môme rêveur d'Eugene O'Neill.

Face à un tel constat, il n'y a pas d'autre choix : il faut prendre des initiatives, monter des projets, mettre en place des possibilités de rencontre et d'échange, et s'inventer continuellement un parcours artistique à travers le monde. C'est ainsi que, vivant à Paris dorénavant, je me retrouve conceptrice, organisatrice de projets entre l'Afrique, la France et l'Inde...

Ici, en France, il y a tant de choses à dire sur les difficultés et le parcours d'une femme noire et actrice. La plupart des rôles de mamans africaines qui m'ont été donné d'interpréter sont du même type que celui de Nafissatou, à croire que la femme noire ne porte que des boubous et des sandales (lorsqu'on ne l'affuble pas de tenues improbables), qu'elle ne peut être que malienne ou sénégalaise, ne parle pas correctement français ou alors avec un fort accent à la Michel Leeb, habite un HLM insalubre avec un fils délinquant ! Ce n'est pas du tout en adéquation avec la diversité des femmes noires ou africaines dans la société française.

Ces rôles de mamas, qui se ressemblent trop, m'ont cependant donné l'opportunité de côtoyer dans la vie certains de mes jeunes partenaires, fils à l'écran, jeunes réalisateurs, comédiennes et comédiens confirmés ou en herbe. Je suis honorée d'être « Mam », « Marraine », « Maman », « Tantine » pour eux. J'ai remarqué qu'une partie de cette génération, dont certains ont été découverts lors de castings sauvages, a une méconnaissance totale de l'existence de celles et ceux qui nous ont précédés sur la scène française, en particulier à l'écran, les Darling Légitimus, Jenny Alpha, Lydia Ewandé, Laurentine Milebo… « Ils ne nous ont pas appris », « personne ne nous en parle », disent-ils. Je regrette leur manque de curiosité mais, il faut bien le reconnaître, il manque aussi des plateformes répertoriant cette mémoire collective. Nous avons le devoir de transmettre le goût du savoir sur nous-mêmes, la niaque de prendre en main nos propres destinées. À nous aussi de déconditionner l'imaginaire collectif de la société. Avec ou sans boubous, avec ou sans accent…

SABINE PAKORA

L'imaginaire colonial

Je ne m'étais jamais définie par ma couleur de peau. Par le prisme des castings et de l'image, j'ai fini par découvrir que j'étais noire. J'arrivais à Paris de Montpellier après un bac option théâtre et le Conservatoire, j'avais étudié Copeau, Stanislavski, Brecht ou Kantor, j'avais été marquée dans mon enfance par des films comme *Les Choses de la vie* de Claude Sautet ou encore *Un été 42* de Robert Mulligan, et je me retrouvais sur le marché du travail. Lors des auditions, je ne comprenais pas cette insistance autour de ma couleur de peau, systématiquement soulignée. On me renvoyait vers des références aux peuples primitifs, à l'Afrique (continent dans lequel je n'avais pas vécu), on imaginait que j'avais forcément le rythme dans la peau, on me prêtait une agilité et des aptitudes physiques et corporelles particulières... J'éprouvais beaucoup de malaise et d'incompréhension par rapport à cette réification acharnée. Je me sentais très isolée et je rencontrais moi-même très peu de comédiens noirs.

Une fois, après un casting sans suite, on m'avait rétorqué qu'on ne cherchait pas de « Noire » ; j'objectais que je candidatais en tant que comédienne, pas en tant que « Noire ». Sans arrêt altérisée, j'ai fini par éprouver le besoin de connaître mes origines, j'ai pris des cours de danse africaine, commencé des études d'anthropologie et entrepris quelques années plus tard un voyage dans mon pays d'origine, la Côte d'Ivoire.

Peu après, j'ai commencé à décrocher quelques rôles. Des rôles stéréotypés pour des personnages périphériques, toujours en situation de subalternes. J'avais l'impression que l'on attendait principalement de moi une apparence physique de femme noire et ronde qui collait à un inconscient et un imaginaire entremêlés de fantasmes et de préjugés que je qualifierais de « colonial ».

J'incarne aujourd'hui principalement des personnages envisagés comme des métaphores de la marginalisation au travers de femmes migrantes aux statut et conditions socio-économiques particulièrement difficiles : des prostituées, des femmes sans papiers, des marâtres cupides malintentionnées, des femmes africaines à l'humeur joviale, folkloriques, ridiculisées. Je joue toutes les déclinaisons possibles de la mama et de la putain africaines ; des personnages hauts en couleur sans capital intellectuel ou économique. Mama, Fatou, Alimata, Fanta… Mes personnages construisent une image de l'autre purement exotique. Ils apparaissent comme des parenthèses anecdotiques : ils représentent des instants de respiration, de relâchement soudain, où s'exprime une truculence exacerbée, comme un clown personnifié qui apparaît et canalise les tensions, les angoisses, les peurs et les pulsions. Ces personnages sont systématiquement en surreprésentation physique : couleurs flashy, coiffures exubérantes, explosives, et en même temps ils sont complètement absents, car on ne sait pas grand-chose d'eux, de leur histoire.

Pour avoir assisté à des projections publiques de films dans lesquels j'avais pu jouer, je ressens parfois un gros malaise autour de la question du rire, quand toute la salle composée d'un public dans un entre-soi blanc s'esclaffe comme pour « se foutre de la gueule de ce qu'on pourrait appeler un indigène ». Je perçois à mon insu (j'imagine peut-être) comme un relent d'un certain « humour colonial » à cet endroit en particulier. Ce serait comme un rire qui me précède et me ramène dans un passé plutôt douloureux, un passé qui n'est pas passé. Je me demande alors : « Est-ce que le public rit de moi, se moque de moi, de mon image, à travers ces personnages, ou est-ce qu'il rit avec moi en reconnaissant mes compétences d'actrice ? »

À l'écran, j'ai la sensation d'avoir du mal à exister en dehors d'un imaginaire occidental qui me stigmatise ou me récupère. On me ramène à travers mes personnages à un autre territoire, à une autre histoire, une autre époque, dans lesquels je ne me retrouve pas. Je suis allée à de nombreux castings où on me demandait de prendre un accent africain, de tchiper, de porter des boubous souvent, même quand il n'y avait pas d'indication de cette nature dans le scénario. Si j'étais d'origine italienne, me ferait-on constamment interpréter des personnages en roulant les *r* avec un accent italien surfait ? Finalement, pour moi qui n'ai pas vécu en Afrique ni auprès de ma famille, jouer ces rôles revient à une vraie performance de comédienne ! Mais personne ne s'en rend compte, comme si c'était là tout ce qu'il y a de plus naturel.

Si je n'acceptais pas ces personnages, concrètement, je ne travaillerais pas en tant que comédienne. Mais en m'y résignant, j'ai parfois l'impression de renoncer à moi-même, de renier mon identité contemporaine.

Nous ne sommes pas que des primo-arrivants, migrants en difficulté, mères de famille affublées de tripotées d'enfants, il y a, parmi cette minorité non blanche, des avocats, des ingénieurs, des scientifiques, des directeurs d'entreprise, des artistes, pourtant la plupart des scénarios ne les incluent pas. À l'écran, être noir est perçu comme un handicap... davantage que dans la société et dans la vie quotidienne. Pourquoi le cinéma français intègre-t-il si difficilement cette évolution ? Pourquoi est-on toujours perçu comme un être pittoresque dépeint par l'anthropologie du début du XXᵉ siècle ?

Récemment, on m'a proposé de jouer un personnage de femme afro-américaine dans une pièce de théâtre dont le contexte était celui des États-Unis. Ce personnage s'appelle Mama et dans les didascalies je lis qu'elle a un accent africain... Comment pouvait-elle être noire-américaine et avoir un accent africain ? Était-ce une femme africaine qui avait migré aux États-Unis ?

J'ai posé la question à l'auteur qui ne s'était pas rendu compte de ce contresens, et j'en ai profité pour lui dire que cette histoire d'accent, quel qu'en soit le contexte, me posait vraiment problème. Derrière cette incohérence, en filigrane, se profile dans mon esprit l'image concrète et persistante du personnage de la Mama dans le film *Autant en emporte le vent*, planté à l'époque de l'esclavage. À ma grande surprise, l'auteur de la pièce a pris en compte mes remarques et s'est dit prêt à faire des modifications.

Nous ne sommes pas perçus comme des actrices ou des acteurs comme les autres : notre couleur de peau renvoie à des constructions sociales qui ne sont pas neutres. Être des travailleurs noirs avec des employeurs blancs, cela compte évidemment dans notre rémunération. On ne va pas tout imputer à la couleur de peau : l'expérience professionnelle, la notoriété, la plastique féminine sont quelques-uns des facteurs qui rentrent en ligne de compte, mais on n'échappe pas à une éthnicisation des relations dans ce monde du travail. Je me souviens d'une anecdote qui m'avait frappée lors d'un film où j'avais un petit rôle il y a quelques années. L'histoire était censée se dérouler en Afrique, mais le film se tournait en France. C'était une scène de fête. Les actrices étaient départagées de la façon suivante : celles qui avaient des cheveux crépus ou avaient des tresses devaient porter des vêtements en tissu africain et incarner des personnages au capital économique moins élevé : elles étaient reléguées en arrière-plan. Mais surtout, elles percevaient également une rémunération moindre par rapport aux comédiennes avec les cheveux lissés ou affublées de perruques aux cheveux raides...

Depuis peu, je vois des personnages de femmes interprétés par des comédiennes noires qui correspondent à la société d'aujourd'hui et qui intègrent une identité « afropéenne ». Il y a aussi Abdellatif Kechiche et de plus en plus de nouveaux réalisateurs et réalisatrices issus d'une identité française non blanche. Je pense que cette ouverture va s'intensifier, mais je reste persuadée que nous avons besoin de sociétés de production, de scénaristes et de réalisateurs ou réalisatrices issus de la communauté afro-diasporique pour proposer d'autres types de héros et d'héroïnes, qui transcendent les clivages sociaux et raciaux habituels, et développer un regard critique sur les rapports de domination.

Il faut aussi pouvoir s'emparer de n'importe quel sujet librement sans se voir cantonner aux thématiques de la banlieue ou de l'Afrique qui nous limitent à notre couleur de peau. À l'Opéra, on s'intéresse à la tessiture vocale de la chanteuse, à son charisme, plutôt qu'à son origine, sa couleur de peau ou son apparence, on va avant tout rechercher ses compétences de chanteuse. J'aimerais aujourd'hui pouvoir interpréter au cinéma une pluralité de personnages sans être enfermée dans une boîte à clichés. J'ose espérer avoir ces opportunités dans un avenir proche.

FIRMINE RICHARD

Une héroïne positive

Le cinéma est venu à moi. Je ne l'avais pas cherché, mais je n'ai pas résisté... J'ai été repérée lors d'une soirée dans un restaurant parisien par la directrice de casting du film de Coline Serreau, *Romuald et Juliette*. Elle cherchait celle qui allait jouer avec Daniel Auteuil et incarner une femme qui n'est pas de la même classe sociale que lui ni de la même couleur de peau et dont il tombe amoureux (après, c'est vrai, de nombreuses péripéties). J'étais étonnée, car je n'étais pas comédienne. On m'a invitée à faire un essai le lendemain, j'ai répondu : « Il est tard déjà et je récupère mal des nuits blanches, si je suis réveillée, je viendrai ! » À l'époque, j'avais déjà 40 ans, je travaillais au conseil régional de la Guadeloupe. Je me suis dit : « Pourquoi pas ? »

C'est comme ça que tout a commencé. J'ai été cette Juliette à l'écran. Une femme généreuse, une mère, une héroïne populaire. Je crois avec le recul que nous avions besoin de ces images-là. Que les Noirs en avaient besoin. Les enfants ont pu se reconnaître dans les enfants de Juliette. Cela a fait du bien aux gens de pouvoir s'identifier à ces personnages, à la fois ordinaires et positifs. Le film venait en partie réparer un vide, apaiser. À cette époque où la France commençait à se crisper sur l'immigration, on ne nous voyait pas sur les écrans. À quelques exceptions près, comme la comédie *Black mic-mac*, sortie en 1986, et dont l'histoire se passe dans un foyer d'Africains, nous n'étions pas visibles. Cette absence nous renvoie à notre histoire. Pour ce qui est du peuple antillais, dont je fais partie, on nous a fait venir ici, dans les années 1960, pour contribuer aux forces économiques du pays et à l'administration. Nos parents voulaient une vie meilleure, ils voulaient que leurs enfants fassent des études, ils s'inquiétaient pour l'avenir. Ils ne se posaient pas la question de notre représentation dans le monde artistique. Ce n'était pas leur préoccupation. À l'époque, les Noirs étaient aux PTT, pas à la télé !

Après *Romuald et Juliette*, je suis partie étudier à la Lee Strasberg Institute, aux États-Unis, j'ai pris confiance en moi, j'ai compris que je pouvais jouer avec mes émotions, avec mes tripes, mes sentiments. Aujourd'hui, je vois les aspirations des jeunes comédiennes qui se battent pour faire leur place. Elles ont grandi avec des actrices qui leur faisaient envie… principalement des vedettes américaines. Elles n'ont pas toutes eu la chance que j'ai eue, avec la réalisatrice de *Romuald et Juliette* : les Coline Serreau ne courent pas les rues…

Dans ma carrière, on m'a très souvent proposé des rôles d'infirmières. Pourquoi ? Cela correspond à la réalité du tissu économique, c'est plausible. Or, il y a aussi des chirurgiens, des chefs d'entreprise ou des avocats noirs. Malgré un plafond de verre dans les administrations ou les entreprises, de nombreux Noirs réussissent. Il suffit de se rendre au palais de justice ou à l'hôpital pour le constater. Dans la vie, on les rencontre, mais au cinéma, on ne les connaît pas !

Pour ma part, je veux bien jouer une femme de ménage, mais si cela raconte quelque chose. Dans *Huit Femmes*, le film de François Ozon, je suis une gouvernante, mais ce n'est pas un sous-rôle. D'ailleurs, la pièce avait déjà été montée avec une autre distribution : exclusivement des femmes blanches. Quand il me choisit pour être aux côtés de Catherine Deneuve, Fanny Ardant, Isabelle Huppert ou Danielle Darrieux, François Ozon me considère comme une comédienne française. C'est un acte symbolique, une étape importante.

Je me souviens avant le début du tournage, j'ai eu un doute. Il fallait que je sois sûre. Est-ce que mon accent le gênait ? Si mon accent ne lui convenait pas, il fallait choisir quelqu'un d'autre : je parle comme je parle, je n'exagère pas mon accent, mais je ne le minimise pas non plus. Il m'a tout de suite rassurée, et dans le film je parle exactement comme dans la vie. Je n'accepte pas qu'on me demande de gommer mon accent : c'est ce qui fait ma différence, ce qui me fait telle que je suis, on ne peut pas l'effacer. Ce serait remettre en cause mon identité. On ne fait pas grief à un Marseillais de ses intonations qui font partie de sa personnalité. Je dois dire que la seule personne qui m'ait demandé si je forçais mon accent était une femme noire. Quelle aliénation !

On ne parle jamais argent, mais je crois qu'il faut le faire. La reconnaissance qui nous fait encore défaut passe aussi par les rémunérations. Dans une comédie à succès dans laquelle j'ai tourné récemment, nous étions quatre comédiennes principales. J'ai appris que l'une d'entre elles – et je ne parle pas de l'actrice vedette – était payée cinq fois mieux que moi, pour un nombre de jours de tournage équivalent. Elle-même était très choquée de découvrir la différence de salaire entre nous deux. Quand j'ai fait *Romuald et Juliette*, personne ne me connaissait ; Daniel Auteuil, lui, était une star. J'ai eu un dixième de sa paie. Mais depuis, j'ai fait beaucoup de films à succès alors, oui, il peut y avoir, notamment en fonction de la notoriété, un écart entre nos cachets, mais pas un gouffre. La bataille passe aussi par là. Aux États-Unis, elle a commencé avec l'actrice noire Viola Davis, qui réclame d'être payée à hauteur égale d'une actrice blanche. Son argument est simple : « Payez-moi pour ce que je vaux. »

Cela fait presque trente ans que je tourne. La diversité que nous représentons n'est pas encore intégrée. Je vois encore des freins, mais petit à petit nous faisons notre place, avec nos accents justement, avec nos cheveux crépus, nos teintes de peau. Les gens s'habituent peu à peu. De plus en plus sous l'influence du cinéma américain, nous essayons de changer les mentalités. D'imposer autre chose dans un monde uniforme, monochrome. Depuis le mouvement Me Too, je sens comme une émulsion à tous les niveaux : il faut en profiter pour dire les choses, pour affirmer qu'on a envie de vivre une autre réalité. Mais ce processus est lent. Et parfois on a l'impression de forcer le passage.

SONIA ROLLAND

« Pas assez africaine »
ou « trop foncée »…

Au grand dam de ma grand-mère rwandaise, je suis née blanche comme le lait, puis mon teint s'est pigmenté petit à petit faisant la joie et la curiosité de toute la famille, dont celle de France. Ces détails physiques ont une résonance particulière dans mon parcours. Je suis le fruit d'un amour qui provient de deux cultures, de deux horizons lointains. Celui d'un père français, blanc, et d'une mère rwandaise, noire : ces deux-là ont décidé un jour envers et contre tous qu'ils s'uniraient et auraient des enfants dans un monde pas encore tout à fait prêt à comprendre cette singularité.

C'est fou quand on y repense. Dire que ma première langue fut le rwandais, que mes pieds d'enfant foulant jadis la terre rouge et humide du Rwanda puis du Burundi se retrouvent, après un exil forcé vers la France, sur le bitume d'une cité HLM de Bourgogne. Changement de vie sociale et culturelle. Je passais d'une minorité blanche en Afrique à une minorité noire en France… tout en restant une énigme pour tout le monde.

J'ai appris à composer des personnages pour me sortir de situations délicates. Adolescente, en plus de ma différence, il y avait ma condition sociale modeste qui laissait peu de place aux rêves. Devenir comédienne ? C'était impensable pour ma mère, qui de son côté essuyait plusieurs refus de travail en raison de sa couleur de peau. Lorsque j'évoquais cette idée, elle prenait la télécommande, allumait la télévision, zappait pour me prouver qu'elle n'y voyait pas de gens comme nous. Elle me renvoyait à mes devoirs en me disant : « Si tu veux t'en sortir, ma belle, travaille dur et pars loin car ici il n'y a rien pour nous ! »

Au cours de ma vie, j'ai été confrontée à des individus, ici et ailleurs, bien incapables de comprendre que je suis un tout. Pas une Blanche, pas une Noire, mais une m-é-t-i-s-s-e. Sous entendue, une hybride, un croisement, un sang impur, une « ni-ni ». Qu'importe ma fonction : actrice, mannequin, réalisatrice, productrice ou tout simplement femme, je me sens constamment tiraillée, écartelée de part et d'autre. « Pas assez claire », pour tel rôle, « pas assez africaine », même aux yeux d'un réalisateur afro-descendant, ou bien « trop foncée » pour une Miss France… Alors, je n'essaie plus de trouver ma place, mon camp. J'ai compris que cela ne servait à rien. Malgré mes nombreux efforts d'intégration et d'acceptation, je sais que je n'appartiendrai jamais à aucune famille ethnique ou raciale. À la bonne heure !

Dans le monde du cinéma, ce message n'est pas si facile à faire passer. Ni Noire ni Blanche, dans mon cas, mais les deux peut-être. Encore faut-il avoir suffisamment de liberté d'esprit pour comprendre cette nuance. Une anecdote me vient à l'esprit justement, pour décrire cette absurde singularité. Je devais jouer une mère célibataire. Ce projet a failli ne pas se réaliser parce que les producteurs ne savaient pas de quelle couleur serait mon enfant. Je leur ai répondu que cela dépendait surtout de l'origine du père (et qu'au passage le public s'en fichait !).

Pour essayer de les convaincre, je leur ai montré une photo de ma fille qui est aussi blanche qu'eux. Le doute était levé. Mais ce moment de panique et d'incompréhension m'a fait comprendre que je n'étais pas au bout de mes peines. À l'exception des quelques producteurs ou réalisateurs qui ont eu le désir de franchir cette barrière – je les en remercie au passage –, la grande majorité des scénarios que j'ai reçus ont toujours mentionné l'origine de mon personnage. Tantôt catin, tantôt maîtresse, souvent dénudée, je découvrais avec découragement que le cinéma tout comme la plupart des hommes de ce métier ont une vision peu reluisante de ma condition de femme, mais surtout de femme « exotique ».

Car oui, la femme métisse fait fantasmer. Il n'y a qu'à voir le nombre d'intellectuels, d'écrivains ou de peintres qu'elle a inspirés. Certes, cette attraction peut être flatteuse, mais l'idée de rester cantonner à ce genre de rôle réducteur – d'être « typecastée » comme disent les Américains – m'ennuyait au plus haut point. Bref, difficile d'entretenir la flamme de l'actrice quand on se sent toujours à côté.

À l'instar de toute une génération j'ai assisté à l'émergence d'actrices et acteurs afro-américains connus et reconnus, puissants et incontournables ! Je me souviens d'une rencontre décisive avec le producteur Quincy Jones. Après une discussion passionnante avec lui sur l'explosion des Noirs dans le cinéma – par le biais entre autres de films qui mettaient en lumière l'histoire de leurs ancêtres ou la fameuse blaxploitation qui assumait les stéréotypes sans complexe –, nous en avons conclu que le média qui avait le plus d'impact dans la prise de conscience fut la télévision dans les années 1980. C'est la petite lucarne qui a permis, en entrant dans chaque foyer, d'éduquer les foules. Mieux, c'est elle qui a donné aux acteurs afro-américains la possibilité de sortir d'une forme de ghetto artistique. Je l'entends encore me demander : « À ton avis, Sonia, quel est le personnage le plus important dans *Le Prince de Bel-Air* ? » Je lui répondis : « Will Smith bien sûr ! » Il me rétorqua : « Non, le personnage le plus important, c'est l'Oncle Phil, et tu sais pourquoi ? Eh bien parce qu'il est juge, noir, et qu'il réside dans une somptueuse villa à Bel-Air ! » Quincy avait raison ! Cette représentation, qui n'existait pas dans l'inconscient collectif américain, était soudainement devenue réelle. On ne montrait plus seulement des dealers, des caïds, des « grangrènes » de la société, mais aussi des acteurs aux cheveux crépus ayant réussi, des Noirs embourgeoisés. En guise de conclusion, Quincy Jones s'est adressé à la métisse que je suis, me faisant comprendre que c'était une chance d'être une femme multiple, une femme qui ne souhaite pas diviser. Et il m'a donné un conseil précieux pour progresser dans le monde du cinéma et contribuer à la production artistique d'aujourd'hui : « Personne ne peut comprendre ta problématique et ne peut réfléchir à ta place. Dans ton cas, ton devoir est de créer des ponts ! À toi de provoquer les choses. »

MAGAAJYIA SILBERFELD

Paris-Los Angeles

Je suis comédienne et réalisatrice. Je fais du théâtre
depuis que j'ai 11 ans, je joue depuis mes 15 ans. À
18 ans, après avoir démarré des études de lettres à Paris, je
suis partie aux États-Unis, pour apprendre le théâtre, à la
Playhouse West, école fondée par Sanford Meisner. À Los
Angeles, j'ai réalisé et produit trois courts-métrages dans
lesquels j'ai joué dont *Vagabonds*, avec l'acteur américain
Danny Glover. Tout est allé à un rythme trépidant. Mais
après cette expérience, sans permis de travail, j'ai été obligée de faire mes valises et de rentrer à Paris. J'ai maintenant 22 ans.

Je m'appelle Magaajyia Silberfeld. Magaajyia, en hawsa,
veut dire l'aînée ou la leader. Ma mère est du Niger et mon
père français, d'origine belge et polonaise. Le père de ma
mère est un Keïta qui a grandi dans les fastes du sultanat du
Damagaran et descend de la dynastie de Soundiata Keïta,
fondateur de l'empire du Mali. Sa mère appartient à l'aristo-
cratie peule, plus sublime tu meurs.

S'il y a bien quelque chose que j'aime à Los Angeles,
c'est que je n'y suis pas considérée comme appartenant
à une minorité. Si on me range dans une catégorie, c'est
celle des Noirs. Celle de « métisse » n'existe pas. Et cela me

fait plaisir quand je vois qu'Elisabeth Moss, une actrice blanche, a une fille métisse et un mari noir dans *The Handmaid's Tale* de Jane Campion.

La seule fois où on m'a fait une blague raciste en trois ans, aux États-Unis, elle provenait d'un Belge. J'adore aussi que les Blancs y décrivent instinctivement les Blancs par leur couleur lorsqu'ils doivent les distinguer des autres. En France, lorsque je dis « un Blanc », les Français en question sursautent, alors que pourtant cela ne les dérange absolument pas de dire « le Noir », « le Renoi », « le Black », le « Quebla », « le Beur », ou encore « le Chinois », quand c'est un Japonais, et ainsi de suite.

En France, je n'ai jamais bien vécu mon métissage. Si je suis revenue, dans un premier temps, c'est parce que je n'avais pas le choix. Il y a bien plus d'opportunités pour moi en Amérique qu'à Paris, avec seulement deux, trois castings par an. Ici, j'ai mis six mois à trouver un agent alors qu'à Los Angeles j'en avais un qui voulait me « signer », si tant est que je puisse travailler légalement. En France, je me heurte à des situations où on me dit que le directeur de casting ne veut pas me rencontrer, qu'il n'est pas « intéressé » parce qu'il cherche une « Caucasienne » pour une série où il y a pourtant plein de rôles.

De retour à Paris, j'ai voulu recommencer le théâtre, que j'avais étudié à New York et Los Angeles.

Début janvier 2018, je me rends au concours de la classe libre du cours Florent pour tenter ma chance. Il pleut, la peur au ventre, je récite mon texte par cœur en boucle dans le métro. *4.48 psychose* de Sarah Kane, l'histoire d'une femme psychotique.

J'arrive à mon audition et j'attends dans le couloir jusqu'à ce qu'on m'appelle.

Un Blanc, la quarantaine, m'attend dans une salle vide. Il est chaleureux, me dit de m'installer sur scène et de commencer quand bon me semble. À la fin de mon texte, je joue du piano, *La Polonaise* de Chopin. Sa première question est : « Vous êtes de quelle origine ? » Je ne vois pas en quoi ça va aider à former son jugement sur la scène que je viens de jouer mais soit, je lui dis que je suis française et que ma mère est du Niger et là il me dit en faisant une gestuelle étrange : « Ah, moi aussi j'ai des filles métisses, mais elles sont "plus d'Afrique". » La fin de sa phrase s'accompagne d'une gestuelle étrange – africaine ?

Et là je me dis : « Ça y est, encore un Blanc qui raconte n'importe quoi sur l'Afrique. »

« Plus d'Afrique » ? En monologue intérieur, je lui réponds : « Si tu savais, mec, à quel point je crois que je suis encore plus africaine que tes filles, tiens d'ailleurs je doute qu'elles parlent leur langue maternelle et puis, en plus, d'où est-ce qu'on voit ses enfants par leur couleur de peau ? » Ma mère m'a toujours dit qu'elle ne savait pas si j'étais blanche, noire ou jaune, mais que j'étais sa fille. Un trait un point – comme on dirait à Niamey. Alors quand j'entends ce monsieur dire « plus d'Afrique », ça voudrait dire quoi ? Je ne réplique rien. Je me dis : « Ferme-la, tu veux passer au deuxième tour, ne perds pas ton temps avec cet homme bourré de stéréotypes. »

Mais peut-être était-ce la phrase de trop, celle qui est gonflée de toutes les autres phrases entendues, oubliées, blessantes, aussi. Quelques jours après, je suis repartie à Los Angeles, à l'occasion de la première de mon court-métrage *Vagabonds* et pour être là au moment des Oscar. Là-bas, si on travaille, on peut y arriver. Là-bas, on rencontre quelqu'un qui vous fait rencontrer quelqu'un d'autre, etc. Tout est possible… On pourra me repérer, qui sait !

SHIRLEY SOUAGNON

En rire...

Les adultes sont des enfants fatigués. Dans mon cas, la petite fille noire et française que j'étais fut lasse d'entendre : « Il faudra en faire plus que les autres », « Pour réussir il faut coucher », « Une femme ne peut pas être drôle », « Les Noirs ne savent pas jouer », etc.

Chacune de ces phrases entendues dans l'enfance, l'adolescence, m'a éloignée de l'innocence. Nous risquons ainsi de devenir des êtres sociaux complexés, voire paralysés. Je me demande à quel point ces propos n'ont pas, aussi, construit ma carrière d'humoriste. Pourquoi est-ce que j'ai finalement décidé de devenir comique plutôt que comédienne ? À quel point ai-je décidé librement de mon destin ?

Pendant très longtemps, je n'avais pas de couleur, je ne me sentais ni noire, ni blanche, ni rien. Je suis issue d'une famille métissée, ma mère étant ivoirienne et mon père ivoirien-alsacien. J'ai passé une bonne partie de mon enfance avec ma grand-mère alsacienne, puis avec mon père et ma belle-mère sénégalaise. C'est mon travail qui m'a donné une couleur. Je tiens à remercier tous ceux qui m'ont obligée petit à petit à en prendre conscience ! C'est cela, entre autres, qui nourrit mon écriture aujourd'hui. Alors merci.

À l'âge de 8 ans, j'ai découvert le monde de la télévision en jouant dans *Navarro* (ne me jugez pas !). J'ai eu cette chance d'éprouver très tôt mon amour pour le plateau. À cet âge, je n'étais pas inhibée, je me sentais libre et spontanée. Peu après, je suis partie de la région parisienne et j'ai arrêté les castings. Je me suis mise alors à tout donner pour le basket. Repérée à 17 ans, j'étais destinée à démarrer une année universitaire chez les Eagles de l'université de Houston, Texas. Seulement, et si proche du but, j'avais l'intime conviction qu'à la veille de mes 18 ans je devais revenir en France, à Paris, et faire du théâtre.

C'est ainsi que je me suis retrouvée sur les planches de la troupe du Théâtre 13. Par chance, la vanité de certains de mes partenaires de jeu, qui se prenaient au sérieux du haut de leurs 18 ans, a créé en moi un besoin immédiat de rire. Je me suis aussi rendu compte que j'étais du genre à faire sourire aux moments les plus plombants et à tourner en dérision les épisodes les plus douloureux. Le théâtre a définitivement révélé la comique que j'étais. Parfois, je me dis que, si j'avais été blanche et hétéro, j'aurais certainement eu une autre profession, finalement.

On ne va pas se mentir, j'ai appris mon métier sur le tas. À 19 ans, pour mon tout premier sketch, je jouais une pseudo-candidate aux élections présidentielles françaises d'origine supposée ivoirienne, je rentrais en dansant, pendant cinq minutes. C'est long cinq minutes. Achevant cette arrivée endiablée, en sueur, je me lançais avec un accent « africain » (ce qui n'est pas un accent en soi, je sais : j'étais moi-même raciste…). Un jour, alors que je tentais les mêmes vannes mais sans accent, j'ai vu que je faisais immédiatement moins rire le public. J'ai compris qu'il y avait un problème. L'esprit de Michel Leeb m'a alors quittée pour toujours. J'ai eu la chance de faire très tôt des blagues à la télévision et ainsi de montrer mon travail au plus grand nombre. J'ai compris, par la même occasion, que ce que je représentais était cantonné à des préjugés... que j'avais moi-même exploités en début de carrière. J'ai aussi fait partie des humoristes du Jamel Comedy Club, mais je me suis rendu compte à quel point eux aussi étaient stigmatisés et enfermés dans les stéréotypes. Dix ans après, cette image évolue bien trop lentement. Dans l'inconscient collectif, faire du stand-up, c'est encore venir de banlieue et parler à sa communauté. Moi, je n'ai jamais grandi en banlieue, mes textes abordent des sujets divers et variés, et s'adressent à tous. Au cinéma ou à la télévision, je refusais systématiquement de me présenter pour des rôles qui stigmatisaient telle ou telle communauté. Sachant qu'avec mes origines, ma sexualité et mon genre j'en représente plusieurs, le tri fut rapide. J'avais trop peur de me voir dans vingt ans dans des films et de regretter mon personnage de caillera-lesbienne-rasta qui dit « wesh-wesh j'te lèche ? ». Ce moi du futur me suppliait de ne pas me rendre à ces castings. Et puis, je ne me sentais plus à l'aise dans cet exercice qui me paraissait si drôle à l'âge de 8 ans. En 2015, j'ai été prise pour jouer dans la série *Engrenages* le rôle de Karen Hoarau, une fille de banlieue, cheffe de gang, tueuse. Vous me direz, sur le papier, c'est toujours le même schéma. Mais l'écriture était fine et respectueuse. Néanmoins, j'ai compris alors que je voulais plus que tout raconter des histoires, et non les jouer.

Dans mes premiers écrits je glissais des messages. Je parlais du prénom Fatou, qui, je l'avais observé, était assigné à toutes les femmes noires que l'on croisait : « Si tu es une femme et que tu es noire, tu t'appelleras Fatou, Kadiatou ou Essuie-Tout... » J'ai aussi été inspirée par les entretiens d'embauche que j'ai dû passer avant de devenir humoriste. J'avais noté avec stupéfaction que la question : « Vous êtes née en France ? » revenait sans cesse. Avec ce genre d'expérience, l'envie de faire des blagues devient une urgence. Sinon, cela donne envie de crier : « Pourquoi ??? », de baisser les bras et de tout miser à la Française des Jeux.

En 2016, en observant l'appel au boycott des Oscar « blancs comme neige » selon Spike Lee (l'académie des Oscar est blanche à 94 % et, cette année-là, aucun des vingt acteurs nominés n'était noir), je me suis dit qu'avant même de réclamer à qui que ce soit quoi que ce soit, il était bon de s'autoéduquer. Je me suis amusée à demander à plusieurs personnes noires combien elles pouvaient me citer d'acteurs ou d'actrices noirs en France qui ne soient pas humoristes ? En général, on me répondait : « Aïssa Maïga ! Et puis l'autre ! Mais si, tu sais... celui qui a joué dans... mais si... le truc, là... »

Alors, en une nuit et la veille d'un deuxième voyage pour Abidjan, j'ai lancé un site (Afrocast.org) pour présenter cinquante actrices ou acteurs noirs français et quelques réalisateurs et scénaristes. Pour que les directeurs de casting arrêtent de dire sans cesse qu'il n'y a « pas assez de bons acteurs noirs en France ». Je ne pensais pas du tout susciter un tel intérêt. J'ai reçu bon nombre de demandes de directeurs de casting et j'ai très vite abandonné le projet : les propositions que l'on m'envoyait ne valaient pas le coup d'être transmises. Je ne pouvais pas me permettre de proposer : « Cherche femme noire. Rôle : maman avec deux enfants, vient d'Afrique en Suisse pour chercher du travail. » J'ai très vite abandonné l'idée de me torturer à filtrer ces offres de travail régressives.

Je me suis alors dit : « Shirley, fais ce que tu sais faire le mieux : de l'humour ! »

J'ai toujours voulu transformer la matière. Voilà pourquoi je suis humoriste. J'évoque aujourd'hui ce qui parfois nous picote comme le franc CFA, le racisme, mais aussi la psychothérapie, la sexualité (eh oui, c'est drôle). J'aborde tout ce que je n'aurais pas pu aborder si j'avais choisi de ne pas choisir, si j'étais restée simple comédienne. Et, en 2018, je trouve que l'élan de créativité et de bienveillance qui nous emplit est plus fort qu'à la génération de mes parents, bercés par un « Liberté, Égalité, Fraternité » aujourd'hui vidé de son sens.

ASSA SYLLA

Soulever l'espoir

Je n'ai jamais pensé à devenir actrice. Ça m'est tombé dessus. Des copines à moi ont été repérées lors d'un casting sauvage. Elles m'en ont parlé, je leur ai dit : « Mais vous rêvez ! Vous croyez que vous, vous allez jouer dans un film ? » Pour moi, c'était tout simplement impossible. Les films que je regardais, que j'aimais, étaient tous américains. Le cinéma français ne m'intéressait pas, je n'arrivais pas à m'identifier aux personnages, ni aux acteurs. Je ne m'y projetais pas.

Mes copines m'ont proposé de les accompagner au casting pour faire des essais. J'avais 17 ans, j'étais au lycée en terminale, j'ai pris ça comme un jeu, je n'ai pas pris ça au sérieux. Je me suis dit : « C'est mort », mais je l'ai fait. J'étais en train de travailler dans l'entreprise Métro où je faisais mon stage en technique de vente, obligatoire pour le lycée, quand j'ai reçu un appel du casting. Ils me donnaient le rôle de Lady, dans *Bande de filles*, de Céline Sciamma. J'étais très contente, tout d'un coup, cela prenait une réalité, une réalité totalement nouvelle, mais à nouveau, j'ai dit : « C'est impossible. » Je m'étais rendue au casting en cachette, en étant sûre de ne pas être prise, donc je n'en avais pas parlé à mes parents. Je savais qu'ils ne

101

seraient jamais d'accord. Je n'avais pas tort : ils ont été catégoriques. Mes parents sont musulmans, originaires de Mauritanie. Mon père est très respecté dans ma famille, il avait peur du regard des autres, de ceux qui le jugeraient : « Tu laisses ta fille jouer dans un film ? » La productrice est venue chez nous pour parler avec eux et les convaincre. Et cela a marché. Moi aussi, comme mon père, je suis très croyante, je lui ai dit : « Tu vois, papa, c'est le destin, c'est Dieu qui l'a décidé. » Aujourd'hui, il est très fier. Et moi, j'ai l'impression d'être reconnue pour ce que je fais.

La réalisatrice Céline Sciamma nous a expliqué qu'elle était troublée de croiser partout, dans le métro, dans les rues, des jeunes femmes noires qu'elles ne voyaient jamais au cinéma, et dont on ne racontait jamais les histoires. C'est ce qui lui a donné l'impulsion de ce film. Je crois que, s'il y avait eu davantage d'acteurs et actrices noirs, la réaction de mes parents aurait été différente. La mienne aussi, d'ailleurs. J'aurais sûrement eu envie de faire du cinéma, cela m'aurait semblé plus évident, plus naturel. Cela m'aurait donné confiance. Ma famille n'aurait pas eu les mêmes craintes. Cette absence de représentation des Noirs a beaucoup pesé sur moi.

Depuis la sortie de *Bande de filles*, je vois des changements. Déjà, il y avait cette affiche de nous, dans les rues de Paris. Quatre filles noires, jeunes, face à l'objectif s'étalaient sur les murs des villes. Une fille d'aujourd'hui aura plus d'exemples sous les yeux que moi, quand j'avais 17 ans, elle aura vu d'autres actrices black françaises, elle aura la preuve que c'est possible.

Au cours des avant-premières, des filles venaient nous voir pour nous dire : « On aime trop, ça nous donne de l'espoir.» Pareil sur les réseaux sociaux, on a reçu de nombreux messages et encore maintenant : « Moi aussi, je veux être actrice, comment je peux faire ? » Beaucoup nous confient : « Vous m'avez donné envie.» Dans mon quartier, à la Goutte-d'Or à Paris, c'est la même chose. On a semé une graine qui se développe dans les cerveaux des jeunes filles d'aujourd'hui. Bien sûr, bien souvent, les rôles restent stéréotypés, il y a encore beaucoup à faire, il faut se bagarrer pour ne pas se retrouver piégées, enfermées dans des clichés, c'est vrai, mais la stigmatisation s'estompe. Oui, noire, en France, on peut devenir actrice. Pour les adolescentes d'aujourd'hui, ce n'est plus un horizon inaccessible.

KARIDJA TOURÉ

Un rêve de cinéma

J'ai toujours voulu être actrice. Je me suis nourrie aux films américains, aux séries. La saga *Harry Potter* m'a vraiment donné envie de faire du cinéma : les acteurs avaient mon âge. Je me disais : « Un jour, ça arrivera. » Je croyais à ce rêve. J'allais en cours, mais je m'appliquais surtout en cours d'anglais, pour pouvoir pratiquer, si un jour je devais tourner aux États-Unis. Parfois, je regardais en cachette les annonces de castings, à Paris, quand il était écrit « jeune fille de 13 à 18 ans », je savais que ce n'était pas pour moi : je l'avais vite compris parce que sinon l'annonce était rédigée différemment : « Cherche jeune fille de 13 à 18 ans, noire. » S'il n'y avait rien de précisé, alors le rôle était forcément pour une Blanche.

J'ai été abordée par la responsable du casting de *Bande de filles* à la foire du Trône, où je me baladais un après-midi. À l'époque, je ne connaissais pas Céline Sciamma, la réalisatrice, et je ne pouvais citer que quelques cinéastes français. Je me suis demandé pourquoi l'équipe cherchait les gens dans la rue. Ce n'est qu'après que j'ai compris qu'il n'y avait pas de Noires dans les écoles de théâtre ou très peu. On n'existe pas, on y est introuvables. J'étais choquée de comprendre ça, de voir que la directrice de casting avait dû se rendre à Châtelet, à Barbès, en banlieue...

Quand j'ai lu le scénario, je me suis souvenue que, comme le personnage que je devais interpréter, on m'a orientée en troisième. Je me suis retrouvée en bac professionnel comptabilité, ce n'était pas ce que je voulais. Très vite, on te force à faire quelque chose qui n'est pas pour toi. On te met dans une case, on t'enferme. C'est difficile d'y échapper. C'est pareil au cinéma.

Pour moi, *Bande de filles* est un film politique. On est sur l'affiche. Mises en avant, mises en lumière. Je me souviens que j'avais trop hâte de la première, je me disais : « Enfin un film avec des femmes noires, tout le monde kiffe, ça va marcher et ça va fuser. » On est allées à Cannes, c'était inespéré, on a fait des festivals. Je me disais : « J'ai eu un premier rôle, j'ai un talent, je pensais que j'aurais plein de propositions. » Mais non, pas vraiment. Pourquoi est-ce qu'on n'a pas fait la couverture d'un grand magazine comme *Elle* ? Avec nos visages d'actrices noires en Une ? Des jeunes actrices de mon âge – des copines souvent – y ont eu droit, elles. Si on veut que ça avance, chacun peut prendre sa part : les cinéastes, le milieu de la publicité, les médias... C'est toute une chaîne de responsabilités. Chaque maillon compte.

Il y a encore du chemin. À Cannes, par exemple, ils s'étaient trompés sur nos noms et nos prénoms ; les photos de nos visages ne correspondaient pas à nos personnages. Ils nous avaient confondues. Une fois, on nous a prises pour les actrices de *Divines* ! À Cabourg, sur le tapis rouge, les photographes m'ont appelée par un autre prénom. Comme si on se ressemblait toutes. On nous le dit souvent d'ailleurs, à nous, les quatre actrices de *Bande de filles* : « Vous vous ressemblez... »

À la cérémonie des César 2016, je devais remettre le prix du meilleur documentaire. C'était important pour moi d'avoir cette visibilité, dans un moment où le cinéma est réuni... J'attendais en coulisses, là où les comédiens se font remaquiller avant de faire leur entrée. Mais la maquilleuse m'a dit qu'elle n'avait pas de poudre pour ma peau. Elle semblait me dire qu'ici, comme noire, je n'avais pas ma place. Je suis restée assise, pendant qu'autour de moi les autres actrices se faisaient faire des retouches avant de passer sur scène, devant leurs semblables.

Des maladresses, des confusions, des bourdes, des clichés comme ceux-là, la plupart du temps, j'essaie de les prendre à la rigolade, mais c'est à cela qu'on voit que la route à parcourir est encore longue, pleine de pièges.

Je ne veux pas qu'on nous oublie, maintenant qu'on a percé. Mais pour ma part, je fais attention à choisir mes rôles, je ne veux pas me retrouver enfermée dans les mêmes personnages, caricaturaux. Je suis née ici, à Bondy, j'ai grandi dans le 15e arrondissement de Paris, mes parents sont ivoiriens, ma mère est une nounou à domicile et mon père, agent d'accueil. Je ne me sens pas du tout représentée à l'écran... dans mon propre pays. Alors, je suis attentive à ce que moi, je peux renvoyer comme image.

Mes parents sont musulmans et ils me font confiance, avec l'éducation que j'ai reçue, je veux garder mes principes. Je ne veux pas qu'ils aient honte, et cela influe sur mes choix de films. Par exemple, je garde une certaine pudeur. Souvent, dans les films qu'on me propose, il y a des scènes d'amour, cela peut me conduire à refuser certains rôles. Quand on est actrice, on s'oublie, on est dans un délire, on est tentée de dire oui à tout, mais je reste vigilante. Parfois, on me dit : « Tu seras obligée de faire des scènes d'amour pour percer », je ne suis pas d'accord et s'il y a une scène de nu, je demande une doublure. Ils veulent montrer mon corps, mais pourquoi est-ce que ce serait un passage obligé ?

Souvent, pour faire comprendre que je ne suis pas prête à faire n'importe quoi, je vais au casting habillée comme un garçon manqué, avec une casquette, alors que je peux être très féminine et coquette (et que j'aime bien l'être, d'ailleurs). Mais comme ça, ils le comprennent, ils ne se mettent pas des idées dans la tête. Je me dis qu'ainsi on va mieux me respecter, que cela évitera les regards ou les gestes déplacés.

Je fais appel aux réalisateurs, aux agents : souvent, ils restent timides ou peu ambitieux. À eux de penser hors des cases, comme celle dans laquelle on m'a mise au lycée quand on m'a orientée, ou plus tard, lors des castings. Aux États-Unis, dans une série comme *Scandal*, l'héroïne est une avocate, une femme surpuissante. Elle est noire. Ici, ce n'est pas possible, ou pas tout de suite. J'ai 24 ans. Combien de temps faudra-t-il attendre ?

Dans le film de Cédric Klapisch, *Ce qui nous lie*, je suis bretonne, je viens du Finistère, et je vis en Bourgogne. Le casting était pour une Blanche ou une Noire, c'est très rare. Dans *La Colle*, une comédie populaire d'Alexandre Castagnetti, c'était pareil. Le rôle était celui de la bombe du lycée, la plus jolie fille. Normalement, il s'agit d'une blonde aux cheveux raides et aux yeux bleus. Cette fois, c'est moi. Je ne suis pas blonde, je n'ai pas les yeux bleus, mes cheveux ne sont pas raides. Dans le film, j'ai les cheveux crépus, au naturel. Le réalisateur était content que des petites filles qui ont les mêmes cheveux puissent s'identifier à moi. Dans *Au bout des doigts* de Ludovic Bernard, je joue Anna, je suis violoncelliste, une fille intello. Il faut que le public nous voie dans des rôles divers et je me bats pour ça. On étouffe, sinon.

FRANCE ZOBDA

Nous raconter librement

Elles sont frigorifiées dans leurs robes légères. On les voit qui tressaillent. Des jeunes filles venues des Antilles françaises débarquent dans un coin reculé de France, en plein hiver. Elles sont noires, jeunes, et sont destinées à devenir bonnes ou cuisinières dans des familles de la petite-bourgeoisie provinciale. Bientôt, elles défilent devant des hommes et femmes, tous blancs, à la recherche de personnel de maison à bas prix. Cette scène est extraite d'une saga politico-romanesque que j'ai produite. Cette fiction raconte l'arrivée des ultra-marins qui ont peuplé la France métropolitaine dans les années 1960, à l'appel du Bumidom (Bureau pour le développement des migrations dans les départements d'outre-mer), et rejoint pour beaucoup les services publics : l'hôpital, la RATP, la Poste... Elle relate le parcours de familles originaires de la Guadeloupe, de la Martinique et de la Réunion qui viennent réaliser leur «rêve français», avec leurs illusions et désillusions, leur nouvel enracinement et leur déracinement... Avec *Le Rêve français*, j'ai enfin la sensation de nous raconter librement, de donner une explication de nos présences à ceux qui l'auraient oubliée. Il a fallu se battre

111

pour en arriver là. J'étais actrice, mais voilà aujourd'hui ce dont je suis la plus fière, être productrice.

« Je suis née dans une île amoureuse du vent où l'air a des odeurs de sucre et de vanille », comme l'a chanté le poète Daniel Thaly, la Martinique, au sein d'une fratrie dont je suis l'aînée, famille composée en majorité d'artistes dont mon père, mes frères et sœur et une mère fonctionnaire. Adolescente, j'ai pratiqué la danse classique et le modern jazz, le piano, l'athlétisme, le judo, le vélo, la voile et le trekking. Partie en métropole pour faire mes études supérieures, j'ai obtenu un doctorat d'anglais et un DUT de gestion et administration des entreprises... Je ne m'attendais pas du tout à devenir comédienne.

Après un contrat de cheffe de comptable et responsable de marketing dans une maison de production de cinéma, j'ai accepté un petit rôle qu'ils me proposaient, puis je me suis retrouvée au cours Florent avec Francis Huster comme professeur. J'ai véritablement embrassé ce métier dans les années 1980, en naviguant comme dans un conte de fées : grâce au casting de *Sheena, Queen of the Jungle* de John Guillermin, une production américaine pour laquelle 1 500 comédiennes étaient venues auditionner du monde entier. Je fus prise et fus la seule *Frenchie*, comme on m'a appelée. J'étais alors dans le champ de tous les possibles. Pendant mon enfance, j'avais manqué de références d'actrices et je rêvais devant Marpessa Dawn, mon modèle depuis *Orfeu Negro*, ou Rita Moreno dans *West Side Story*, mes films-cultes. Avec quelques autres comédiens et comédiennes noirs, nous nous sentions alors des « militants artistiques ». Nombre de nos aînés nous avaient prévenus de la difficulté et du combat qui s'annonçaient, mais nous étions confiants et pleins d'espoir, convaincus qu'une nouvelle ère commençait avec nous et qu'on pourrait changer la donne.

Après cette expérience, j'ai monté, avec Maka Kotto que j'avais rencontré au cours Florent et cinq autres comédiens et comédiennes noirs de pays différents, une troupe de théâtre. On l'avait appelée La Compagnie des Griots d'aujourd'hui en souvenir de nos aînés, Jenny Alpha, Robert Liensol et Toto Bissainthe, nos modèles d'alors, bercés, eux, par les chantres de la négritude : Aimé Césaire, Léopold Sédar Senghor, Frantz Fanon... On en devenait un peu les héritiers.

Cette aventure m'a procuré un bonheur intense car nous avons pu parcourir le monde, représentant la France dans de nombreux pays avec une satire sociale de Julius-Amédée Laou intitulée *Ne m'appelez jamais Nègre !* C'était une pièce à l'humour grinçant qui parlait pour la première fois du racisme entre Noirs, un vrai pied de nez à nos préoccupations du moment, car nous avions alors conscience que le chemin était parsemé d'embûches pour parvenir à exister en tant qu'acteurs.

Mon expérience dans une série télévisuelle à Montréal, *Lance et compte*, a été un tournant dans ma vie et dans ma carrière. J'y ai vécu trois ans et ai découvert un pays où l'on me regardait en tant qu'actrice et où l'on m'acceptait sans préjugé. Quel agréable choc ! J'ai alors contacté tous mes amis « militants artistiques », leur disant que j'avais trouvé notre El Dorado ; c'est ce qui a amené Maka Kotto à Montréal, lui permettant de devenir quelques années plus tard député puis ministre de la Culture du Québec.

Après *Sheena*, ou encore des séries à succès, j'ai eu de belles propositions qui auraient pu faire de moi une actrice en vue outre-Atlantique, mais j'ai décidé de revenir en France et d'y mener le combat de la reconnaissance. Durant toutes ces années, je n'ai fait aucun compromis et j'ai toujours été attentive à mes choix car, dans mon éducation, la dignité, le respect de soi, l'humilité sont des maîtres mots : ne jamais se compromettre pour un rôle ou en accepter un à l'encontre de ses principes. J'ai toujours gardé le cap de la mission que je m'étais donnée : représenter dignement nos outre-mers et notre image de « minorités visibles » – être une bonne « ambassadrice ». Cette responsabilité ne m'a jamais quittée.

Notre manque de visibilité m'a donné l'envie de créer en 2002 le festival Cinamazonia, festival de cinéma des mondes métissés, en Guyane, pour mettre en lumière des comédiens et des films de la diaspora, et alerter sur le danger de l'absence de représentation de nos cultures sur les écrans. J'ai alors réellement pris conscience du malaise dans lequel nous étions englués. J'avais la sensation que beaucoup d'entre nous étaient comme des hamsters pris au piège, amers, frustrés, tristes de ne pas être pris en compte... Je ne pouvais pas m'y résoudre. Avec Jean-Lou Monthieux, j'ai décidé de créer notre propre société de production, Eloa Prod, dans le but de voir enfin sur les écrans les reflets de la société française et du monde dans lequel nous vivions, mais que nous ne voyions pas représentés à l'image.

J'ai alors mis mon métier d'actrice entre parenthèses. Ma décision a vite été prise, je préférais désormais être en amont des projets et non plus en aval, comme le dernier maillon d'une chaîne sans fin. Nous voulions une ligne éditoriale bien claire et affichée. Je voulais raconter enfin nos imaginaires, nos histoires, notre histoire, proposer un regard DE la diversité et non SUR la diversité !

Certains producteurs nous ont mis en garde – pour eux, nous allions nous enfermer dans un ghetto –, mais nous avons résisté en choisissant d'être des « artisans », heureux d'œuvrer pour nos propres convictions. Très attachée aux Antilles, à l'Afrique, aux diasporas, aux métissages, je rêvais de mettre en valeur cette identité plurielle, multiculturelle, multiraciale et multicolore, et de « mélanger les cultures à l'écran ». Parler de nous-mêmes sans intermédiaire, sans tabou, sans filtre, avec nos repères et nos codes communs. C'est un combat quotidien, mais un bonheur immense que de pouvoir mettre en lumière des acteurs et actrices de la diaspora pour ne pas les laisser dans l'ombre comme d'autres par le passé !

Lorsque l'on pense à Darling Légitimus, Jenny Alpha, Cathy Rosier, Toto Bissainthe, disparues sans avoir été assez célébrées, il serait triste que toutes les actrices d'aujourd'hui, très talentueuses, ne connaissent pas le succès mérité avec des rôles de premier plan !

Malgré toutes ces réticences et tous ces doutes quant à notre projet ambitieux et « utopique », nous avons réussi à produire des films comme *Toussaint Louverture*, cet ancien esclave affranchi, devenu une figure du mouvement anticolonialiste et abolitionniste, ayant tenu tête aux armées napoléoniennes, et fondateur de la Première République noire affranchie (Saint-Domingue, devenue Haïti). Nous avons mis six ans à monter le projet, car il a fallu convaincre certaines personnes de l'intérêt de parler de l'histoire de ce « héros noir » en *prime time* sur une chaîne nationale. La réticence venait de la crainte que le public ne

soit pas au rendez-vous, car pas prêt ! Prêt à quoi, au fait ?
À voir des Noirs à 20 h 30 ? Les résultats d'audiences leur
ont chaque fois donné tort, car nos téléfilms ont été des
succès à l'antenne.

Notre ambition était et reste encore de continuer à « révé-
ler » des talents ou de les « valoriser » car, à force de nous
avoir ignorés, évités et d'être passé à côté de talents dits
« de la diversité », le vide s'est créé et mettra des années à
être comblé. Pourtant, nos jeunes ont besoin de « modèles »
à qui s'identifier et l'heure est venue. Le film américain
Black Panther en est la preuve aujourd'hui. Il fait salle
comble, et les jeunes dans le public sont heureux d'applau-
dir et de crier leur fierté de s'identifier à ces personnages de
Marvel…

J'ai choisi ainsi de donner à nos actrices noires d'aujour-
d'hui, avec plaisir et simplicité, ce qu'on ne m'a pas donné.
J'espère rendre possible une indispensable transmission. Et
ne peux que leur souhaiter de belles carrières, car elles sont
superbes, effrontées, investies, passionnées, dynamiques et
« rebelles » ; de vraies femmes « poto-mitan » (sur lesquelles on s'appuie, comme on dit en créole), qui peuvent
changer le regard porté sur elles, sur nous, et transformer
les préjugés.

Remerciements
d'Aïssa Maïga

Je tiens à remercier Charlotte Rotman pour son implication de chaque instant, sa bienveillante exigence et sa redoutable efficacité. Ce projet n'existerait pas sans ces trois qualités faites femme.

Merci à toutes les comédiennes auteures de ce livre pour cette aventure collective et collector qui tisse les liens nouveaux, renforce les liens anciens et élargit les horizons.

À mes enfants,
Gabriel, Kwameh, Leitia, Sonni.
À Géraud,
Tous les jours.
À mes parents de coeur, Anne-Marie et Housseyni.
À mes frères, Boncaneye « Abba » et Timothée.
À mon frère Antonin, qui vit dans nos cœurs.

Nous avons été réunies en un temps éclair par une myriade de bonnes volontés qui nous ont permis de faire la photo de couverture réalisée par Frédéric Stucin.
Merci à Lionel Charrier.
Merci à la fée Isabelle Brulier.
Merci à la magie de Xavier Brunet communication.

Mention spéciale à Emmanuel Blanchemanche et à ses équipes (spéciale dédicace à Julien Bouston) qui nous ont ouvert les portes du Roch Hôtel & Spa à l'occasion du shooting.

Remerciements à Estée Lauder pour la mise en beauté des actrices.

Remerciements à Franck et Olivia Provost que l'on salue pour leur réactivité et leur bienveillance.

Un grand merci à Nadeen Mateky pour le maquillage, et à Christelle Clairicia pour la coiffure.

D'autres personnes et institutions accompagnent notre collectif, au-delà de ce livre : Remerciements chaleureux à Unifrance, à sa directrice, Isabelle Giordano, à son président, Serge Toubiana, ainsi qu'à Sébastien Cauchon et Betty Bousquet.

Je tiens à remercier sincèrement Dominique Desseigne pour l'accueil que le groupe Barrière nous réserve dans ses établissements.

Merci au Festival de Cannes et à son président, Pierre Lescure, pour leur aide précieuse.

Table

RÉALISATION : IGS-CP À L'ISLE-D'ESPAGNAC
IMPRESSION : NORMANDIE ROTO IMPRESSION S.A.S. À LONRAI
DÉPÔT LÉGAL : MAI 2018. N° 140119-10 (1902058)
Imprimé en France